Über dieses Buch Eine Welle spontaner Zustimmung löste im Herbst 1981 die Nachricht von der Entscheidung der Stockholmer Akademie aus: Endlich hatte jemand den Literatur-Nobelpreis bekommen, gegen den es keinerlei Vorbehalte gab. Mit dem Verfasser von ›Die Blendung‹, ›Masse und Macht‹ und den Erinnerungsbüchern ›Die gerettete Zunge‹ und ›Die Fackel im Ohr‹ wurde ein Jahrhundertautor angemessen geehrt. Canetti hat in seinem Werk vor allem die gedanklichen und tatsächlichen Perversionen und die Welt geschildert, in der sie spielen und die sich damit abzufinden scheint. Den Prosaisten, Dramatiker, Essayisten hat der Ruhm erst spät erreicht. Bis jetzt ist nicht recht ins Bewußtsein gedrungen, daß Canetti bei allem auch ein Satiriker und Aphoristiker von Graden ist, verspielt und komisch. In dem hier vorliegenden Bändchen ›Der Ohrenzeuge‹ nimmt Canetti eine Methode der Beschreibung wieder auf, die in der Antike der Philosoph Theophrast begründet hat. Als hätte er kein Wort von Psychologie oder Soziologie gehört, schildert Canetti Charaktere – etwa den »Größenforscher«, den »Leidverweser«, die »Tischtuchtolle« –, die in ihrer knappen Sprache und ihren zuweilen surrealistischen Bildern unmittelbar einleuchten und unvergeßlich werden. Einsichten und Erfahrungen beim Verfassen seiner großen Werke haben Canetti zu einer außergewöhnlichen dichterischen Kleinform geführt. Diese »Charaktere« haben etwas – wenn auch ganz anderen Ursprungs – von Morgensternschem Humor.

Der Autor Elias Canetti wurde am 25. Juli 1905 in Rustschuk/ Bulgarien geboren. Übersiedlung der Familie nach Wien, Abitur in Frankfurt, Studium der Naturwissenschaften in Wien, Promotion zum Dr. phil. 1938 Emigration nach London. 1972 wurde Elias Canetti mit dem Georg-Büchner-Preis, 1975 mit dem Nelly-Sachs-Preis und 1977 mit dem Gottfried-Keller-Preis ausgezeichnet. Er lebt heute abwechselnd in Zürich und London.
Im Fischer Taschenbuch Verlag erschienen neben dem berühmten frühen Roman ›Die Blendung‹ (Bd. 696) noch folgende Werke: ›Die Provinz des Menschen‹ (Bd. 1677), ›Die Stimmen von Marrakesch‹ (Bd. 2103), ›Die gerettete Zunge‹ (Bd. 2083), ›Die Fackel im Ohr‹ (Bd. 5404), ›Masse und Macht‹ (Bd. 6544) und ›Dramen. Hochzeit/Komödie der Eitelkeit/Die Befristeten‹ (Bd. 7027).

ELIAS CANETTI

DER OHRENZEUGE

FÜNFZIG CHARAKTERE

FISCHER TASCHENBUCH VERLAG

Ungekürzte Ausgabe
Fischer Taschenbuch 5420
August 1983
Umschlaggestaltung: Jan Buchholz/Reni Hinsch
Umschlagabbildung: Isolde Ohlbaum
Fischer Taschenbuch Verlag GmbH, Frankfurt am Main
Lizenzausgabe mit freundlicher Genehmigung
des Carl Hanser Verlags, München
© 1974 Carl Hanser Verlag, München
Gesamtherstellung: Hanseatische Druckanstalt GmbH, Hamburg
Printed in Germany
580-ISBN-3-596-25420-5

INHALT

Für Hera und Johanna

Die Königskünderin hat etwas Hoheitsvolles, sie weiß, was sie ihrem Auftrag schuldig ist und ist bekannt dafür, wie gut sie ihre Gäste bewirtet. Aber mit der Bewirtung allein ist es nicht getan und alle ahnen, daß etwas Besonderes bevorsteht. Sie sagt nicht gleich, was es diesmal ist, das erhöht die Spannung. Unter einem König kann es nicht sein, weniger verkündet sie nicht. Sie ist groß und stattlich, und unerschöpflich ist ihr Vorrat an Verachtung. An jeder kleinsten Bewegung erkennt sie Untertanen und hält sie, noch bevor er verkündet ist, vom König fern. Aber auch für Höflinge hat sie einen guten Blick, diese versteht sie geschickt zu fördern und verwendet sie für sämtliche Höfe. Man spürt, wie sie ihren Überschwang sammelt und für die große Gelegenheit verspart. Sie ist hart und verachtet Bettler, es sei denn, sie stellen sich auf, wenn sie gebraucht werden. Mit einer ganzen Schar von ihnen wartet sie auf, sobald die Königskündigung bevorsteht. Dann fliegen alle Türen in ihrem Hause auf, es erweitert sich zum Palast, Engel singen, Bischöfe segnen, in ihrem neuen Ornat liest sie ein Telegramm von Gott und verkündet jubilierend den König.

Ergreifend ist es, sie mit vergessenen Königen zusammen zu sehen, sie vergißt sie nie, auch die abgetakeltsten Exemplare unter ihnen merkt sie sich, schreibt ihnen, schickt ihnen angemessene kleine Geschenke, verschafft ihnen Arbeit und wenn die Ehre längst zu Ende ist, ist sie die Einzige, die sich noch daran erinnert. Unter den Bettlern, mit denen sie bei großen Gelegenheiten aufwartet, findet sich manch ein früherer König.

Der Namenlecker weiß, was gut ist, er riecht es auf tausend Kilometer und scheut keine Mühe, in die Nähe des Namens zu gelangen, den er zu lecken gedenkt. Im Auto, mit Flugzeugen geht das heute leicht, gar zu groß ist die Mühe nicht, aber es ist zu sagen, daß er sich auch mehr Mühe geben würde, wenn es notwendig wäre. Seine Gelüste entstehen beim Zeitungslesen, was nicht in der Zeitung steht, schmeckt ihm nicht. Kommt ein Name öfters in der Zeitung vor und steht er gar schon in den Überschriften, so wird sein Gelüste unwiderstehlich und er macht sich schleunigst auf den Weg. Hat er genug Geld für die Reise, so ist es gut, hat er's aber nicht, so borgt er sich's aus und zahlt mit der Glorie seiner großen Absicht. Es macht immer Eindruck, wenn er davon spricht. »Ich muß N. N. lecken«, sagt er, und es klingt wie früher die Entdeckung des Nordpols.

Er versteht es überraschend anzukommen, ob er sich auf andere beruft oder nicht, er klingt immer, als wäre er am Verschmachten. Es schmeichelt Namen, daß man aus Lust nach ihnen verdursten könnte, die ganze große Welt eine Wüste und sie der einzige Brunnen. So erklären sie sich, nicht ohne zuvor ausführlich über ihren Zeitmangel zu klagen, bereit, den Namenlecker zu empfangen. Man könnte sogar sagen, daß sie ihn mit einiger Ungeduld erwarten. Sie legen sich ihre besten Partieen für ihn zurecht, waschen sie, aber nur sie gründlich und polieren sie auf Glanz. Der Namenlecker erscheint und ist geblendet. Seine Gier ist indessen gewachsen und er verbirgt sie nicht. Er nähert sich unverschämt und packt den Namen. Wenn er ihn lange und gründlich abgeleckt hat, photographiert er ihn. Zu sagen hat er nichts, vielleicht stottert er etwas, das wie Verehrung klingt, aber niemand fällt ihm darauf herein, man weiß, daß es ihm nur auf Eines ankommt, die Berührung seiner Zunge. »Mit dieser eigenen Zunge«, verkündet er später, streckt sie heraus und nimmt eine Ehrfurcht entgegen, wie sie noch keinem Namen je zuteil wurde.

Der Unterbreiter hat Pläne in seiner Aktentasche, Auf-
rufe, Zeichnungen und Zahlen. Er kennt sich unter
ihnen aus, fix und fertig aus seiner Tasche ist er ins Leben
gesprungen. Er wurde nie gezeugt, keine Mutter hat ihn
getragen, Lesen und Zählen konnte er schon immer. Ein
Wunderkind war er nie, schon weil er nie ein Kind war.
Älter wird er nie, weil er nie jünger war: seine Planhaf-
tigkeit ist frei von Jahren. Er ist pünktlich, ohne es zu
merken. Er ist nie zu früh und er ist nie zu spät, aber frägt
man ihn nach der Zeit, so schlägt er sich auf den Kopf
über so viel Dummheit.

Es macht ihm gar nichts, daß er umsonst unterbreitet
und wenn er um Unterschriften in einer guten Sache
kommt, hat er immer schon einige vorzuweisen, die
können sich sehen lassen. Wie er zu ihnen gekommen ist,
ist rätselhaft, er schweigt und hat seine Methoden. Er ist
geduldig und unterbreitet dasselbe seit Jahren. Die
Tasche ist voll und für Abwechslung ist gesorgt. Niemand merkt, wenn er mit demselben kommt, weil es
schon zu lange her ist. Er merkt sich alles, denn er trägt's
mit sich herum, zu seinem Charakter als Unterbreiter
gehört es, daß er nie etwas aufgibt. Er besteht auf
Überzeugung; ohne daß man ihn genau versteht, erlaubt
er niemandem zu unterschreiben. Zwar sucht er immer
Namen, aber er will sie ganz, wen er einmal in der
Tasche hat, der soll auch darin bleiben. Er verachtet
Leute, die sich aus seiner Tasche davonmachen, es
gelingt nur wenigen. Diese hält er als warnendes Beispiel
hin und unterbreitet weiter.
Selbst hat er nie etwas davon, er tut alles umsonst. Er
gibt zu verstehen, daß er für sich kaum etwas braucht

und läßt sich nicht einmal zu einem Kaffee einladen. Manchmal holt ihn ein anderer Unterbreiter ab, wie ein Zwilling, aber sie heißen anders. Wenn sie zusammen weggehen, weiß man nicht mehr, welcher von ihnen zuerst da war. Vielleicht holen sie schließlich doch ihre Herkunft nach und werden nach einiger Zeit des Unterbreitens zu Eiern.

Sie lebt von den Geschenken, die sie zurückholt. Sie hat kein Geschenk vergessen. Sie kennt sie alle, sie weiß, wo jedes ist. Sie grast die Orte nach ihnen ab und findet immer Vorwände. Sie geht gern in Häuser, die sie nicht kennt und hofft auch da ein Geschenk von sich zu finden. Selbst welke Blumen blühen wieder auf, um sich von ihr zurückholen zu lassen.

Wie hat sie nur je so viel schenken können und wie hat sie's nicht früher schon geholt. Sie, die alles vergißt, Geschenke vergißt sie nicht und Schwierigkeiten hat sie nur mit verspeisten Geschenken. Das ist schon bitter, wenn sie erscheint und alles ist aufgegessen. Dann sitzt sie nachdenklich und verloren da und erinnert sich an etwas, was da sein sollte. Verstohlen sieht sie sich um, ein höflicher Mensch, ob nicht etwas versteckt sein könnte. In Küchen geht sie besonders gern, ein Blick in den Abfall, ein Stich ins Herz, da sind sie, die Schalen ihrer Apfelsinen. Hätte sie sie nur später gebracht oder wäre sie sie früher holen gekommen.

»Meine Teekanne!« sagt sie und nimmt sie an sich. »Mein Schal! Meine Blumen! Meine Bluse!« Wenn die Beschenkte die Bluse trägt, bittet sie, sie anprobieren zu dürfen und geht, nicht ohne sich zuvor im Spiegel hin und her bewundert zu haben, in der Bluse davon.

Aber erwartet sie nicht, daß man's ihr von selbst zurückträgt? Nein, sie holt es lieber selber. Aber läßt sie nichts mitgehen? Nein, es ist ihr um ihre Geschenke zu tun. An diesen hängt sie, diese will sie, diese gehören ihr. Aber wozu hat sie sie hergegeben? Um sie zurückzuholen, dazu hat sie sie hergegeben.

Der Hinterbringer mag nichts für sich behalten, was einen andern kränken könnte. Er beeilt sich und kommt andern Hinterbringern zuvor. Manchmal ist es ein bitteres Rennen, und obwohl sie nicht alle vom gleichen Punkt losgehen, spürt er, wie nah die andern schon sind und überholt sie in riesigen Sprüngen. Er sagt es sehr rasch und es ist ein Geheimnis. Niemand darf davon erfahren, daß er es weiß. Er erwartet Dankbarkeit und sie besteht in Diskretion. »Ich sag's nur Ihnen. Es geht nur Sie etwas an.« Der Hinterbringer weiß, wenn eine Stellung bedroht ist. Da er sich so rasch fortbewegt, er beeilt sich sehr, wächst die Bedrohung auf dem Weg. Er kommt an und es ist schon ganz sicher. »Sie werden entlassen.« Der Betroffene erbleicht. »Wann?« fragt er und »Wieso? Man hat mir nichts gesagt.« »Man hält es geheim. Man wird es Ihnen im allerletzten Augenblick sagen. Ich mußte Sie warnen. Verraten Sie mich aber nicht.« Dann hält er eine ausführliche Rede darüber, wie furchtbar es wäre, wenn man ihn verriete, und während das Opfer noch keine Zeit hatte, die eigene Gefahr ganz zu ermessen, fühlt es schon Mitleid mit dem Hinterbringer, diesem besten Freund.
Der Hinterbringer läßt sich keine Beleidigung entgehen, die im Zorn geäußert wurde und sorgt dafür, daß sie den Beleidigten erreicht. Weniger gern hinterbringt er Lob, aber um zu beweisen, wie gut er gesinnt ist, zwingt er sich bisweilen dazu. In solchen Fällen beeilt er sich nicht und zögert noch an Ort und Stelle. Das Lob liegt ihm wie ekles Gift auf der Zunge. Bevor er es ausspuckt, glaubt er zu ersticken. Schließlich sagt er's, aber sehr keusch, als hätte er Scheu vor der Nacktheit des Andern.

Sonst kennt er weder Scham noch Ekel. »Sie müssen sich wehren! Sie müssen etwas tun! Sie können das nicht einfach hinnehmen!« Er berät den Betroffenen gern, schon weil es länger dauert. Seine Ratschläge sind so, daß sie die Angst des Opfers vergrößern. Es ist ihm ja nur um das Vertrauen der Menschen zu tun, ohne Vertrauen kann er nicht leben.

Der Tränenwärmer geht täglich ins Kino. Es muß nicht immer etwas Neues sein, ihn zieht es auch zu alten Programmen, Hauptsache ist, daß sie ihren Zweck erfüllen und ihm reichlich Tränen entlocken. Da sitzt man von anderen ungesehen im Dunkel und wartet auf Erfüllung. Es ist eine kalte, herzlose Welt und ohne das warme Naß auf den Wangen zu fühlen, möchte man nicht leben. Sobald die Tränen zu strömen beginnen, wird einem wohl zumute, man ist sehr still und man rührt kein Glied, man hütet sich davor, mit dem Taschentuch etwas wegzuwischen, jede Träne soll ihre Wärme bis zur Neige spenden und ob sie nun bis zum Mund gelangt oder bis zum Kinn, ob es ihr gar gelingt, übern Hals und bis auf die Brust zu fließen, – er nimmt es mit dankbarer Zurückhaltung an und erhebt sich erst wieder nach einem ausgiebigen Bade.

Der Tränenwärmer hatte es nicht immer so gut, es gab Zeiten, da er auf eigenes Unglück angewiesen war und wenn das nicht kam und auf sich warten ließ, meinte er oft zu erfrieren. Er wand sich unsicher im Leben hin und her, einem Verlust, einem Schmerz, einer unstillbaren Trauer entgegen. Aber die Leute sterben nicht immer, wenn man traurig sein will, die meisten haben ihr zähes Leben und bocken. Es kam vor, daß er auf ein ergreifendes Ereignis gefaßt war, schon begannen sich ihm die Glieder wohlig zu lösen. Aber dann, – man dachte schon hart daran zu sein, – dann geschah nichts, man hatte viel Zeit verschwendet und mußte sich nach einer neuen Gelegenheit umsehen und mit der Erwartung von vorn beginnen.

Es bedurfte vieler Enttäuschungen, bevor der Tränenwärmer erkannte, daß keinem im eigenen Leben genug widerfährt, um auf seine Kosten zu kommen. Er versuchte es mit mancherlei, er versuchte es sogar mit Freuden. Aber jeder, der darin einige Erfahrung besitzt, weiß, daß es mit Freudentränen nicht weit her ist. Selbst wenn sie die Augen erfüllen, was mitunter passiert – sie geraten nicht recht ins Fließen, und was die Dauer ihrer Wirkung betrifft, so ist es eine ganz jämmerliche Affäre. Auch Wut, auch Zorn erweisen sich kaum als ergiebiger. Einen einzigen Anlaß gibt es, der verläßlich wirkt: Verluste, wobei Verluste unwiderruflicher Art allen übrigen vorzuziehen sind, besonders wenn sie solche treffen, die es nicht verdienen.

Der Tränenwärmer hat eine lange Lehre hinter sich, aber jetzt ist er ein Meister. Was ihm nicht gewährt ist, holt er sich bei anderen. Wenn sie ihn gar nichts angehen, Fremde, Ferne, Schöne, Unschuldige, Große, steigert sich ihre Wirkung bis ins Unerschöpfliche. Er selbst aber trägt keinen Schaden davon und geht aus dem Kino ruhig nach Hause. Da ist alles beim Alten, er kümmert sich um nichts und der morgige Tag bereitet ihm keine Sorge.

Der Blinde ist nicht von Hause aus blind, doch ist er's
mit leichter Mühe geworden. Er hat eine Kamera, die hat
er überall und es ist eine Lust für ihn, die Augen
geschlossen zu halten. Er geht wie im Schlaf, er hat noch
gar nichts gesehen und schon nimmt er's auf, denn dann,
wenn es alles nebeneinanderliegt, gleich klein, gleich
groß, immer viereckig, ordentlich abgeschnitten, benannt, numeriert, bewiesen und vorgezeigt, dann sieht
man's auf alle Fälle besser.

Der Blinde erspart sich die Anstrengung, etwas vorher
gesehen zu haben. Er sammelt, was er gesehen hätte und
stapelt es auf und freut sich daran, als wären es Briefmar-
ken. Um der Kamera willen bereist er die Welt, nichts ist
fern, nichts ist leuchtend, nichts absonderlich genug – er
holt sich's für die Kamera. Er sagt: da war ich, und zeigt
drauf und könnte er nicht drauf zeigen, er wüßte nicht,
wo er war, die Welt ist verwirrend, exotisch und reich,
wer soll sich das alles merken.

Der Blinde glaubt nichts, was nicht aufgenommen
wurde. Leute schwatzen und prahlen und reden daher,
sein Motto ist: heraus mit den Fotos! Da weiß man, was
einer wirklich gesehen hat, da hält man's fest in der
Hand, da kann man den Finger drauf legen, da kann man
auch ruhig die Augen öffnen, statt sie sinnlos vorher
schon zu vergeuden. Alles im Leben hat seine Zeit,
zuviel ist zuviel, das Sehen erspare man sich für Fotos.

Der Blinde liebt es, seine Aufnahmen vergrößert an die
Wand zu werfen und seine Freunde damit zu bewirten.
Zwei oder drei Stunden dauert ein solches Fest, Schwei-

gen, Erleuchtungen, Deutungen, Hinweise, Ratschläge, Humor. Der Jubel, wenn man etwas verkehrt eingelegt hat, die Präsenz, wenn man merkt, daß etwas zum zweitenmal gezeigt wurde! Es ist nicht zu sagen, wie wohl ein Mensch sich fühlt, wenn die Aufnahmen groß sind und es lange genug dauert. Endlich die Belohnung für die unbeirrbare Blindheit einer ganzen Reise. Auf, auf, ihr Augen, jetzt dürft ihr sehen, jetzt ist es soweit, jetzt wart ihr dort, jetzt sollt ihr's beweisen!

Der Blinde bedauert, daß andere es auch beweisen können, doch er beweist es besser.

Der Höherwechsler gibt mehr heraus, als er bekommt. Er weiß und hat mehr als jeder. Einem Einbrecher packt er soviel auf, daß er unter der Last zusammenbricht. Dann hilft er ihm, es die Treppe heruntertragen. Dann zeigt er ihm noch den Weg und warnt ihn vor Gefahren.

Der Höherwechsler führt diffizile Gespräche mit Spezialisten. Er berät sie alle, was weiß er nicht, er weiß mehr als jeder von ihnen. Niemand begreift, wo er die Zeit zum Lesen hernimmt, und kann ein Mensch heute über alles lesen? Er kann, oder es fliegt ihm im Schlafe zu, er hat ein undurchlässiges Gedächtnis. Er sagt nicht ›ich weiß‹, denn er weiß viel mehr, dafür sagt er auf der Stelle, was er mehr weiß, er sagt es sachlich und bekömmlich, er ist nicht überheblich, eher bescheiden, aber immer gibt er mehr heraus, als er bekommt, es ist wie bei einem rätselhaft konstruierten Automaten.

Der Höherwechsler verkehrt in allen Kreisen, er macht zwischen ihnen keinen Unterschied, ein Snob ist er nicht und versagt sich niemandem. Er will auch nicht als Wohltäter gelten. Äußerlich gibt er sich unscheinbar, er fällt nirgends auf, er lauert nicht, er geht, steht, sitzt und wendet sich wie jeder andere. Manche halten ihn für einen Laufvogel, aber keinen besonders großen. Er lächelt, wenn er bekommt, aber er ist toternst beim Herausgeben. Seine Ohren sind zugespitzt und ein wenig nach vorn gewachsen. Die Zunge hält er gut versteckt, was immer er sagt, er sagt's mit geheimer Zunge.
Wenn der Höherwechsler überhaupt nicht mehr zu reden aufhört, weiß man, er schläft. Da hört er nicht mehr, da gibt er unaufhörlich heraus, da bekommt er gar nichts, da ist er glücklich.

Die Geruchschmale scheut Gerüche und weicht ihnen aus. Sie öffnet Türen vorsichtig und zögert, bevor sie eine Schwelle übertritt. Halb abgewendet steht sie eine Weile da, um mit einem Nasenflügel zu riechen, den anderen schont sie. Sie streckt einen Finger in den unbekannten Raum und führt ihn an die Nase. Dann hält sie mit ihm einen Nasenflügel zu und schnuppert mit dem anderen. Wenn sie nicht gleich ohnmächtig wird, wartet sie noch ein wenig. Dann tritt sie seitwärts mit einem Fuß über die Schwelle, beläßt aber den anderen draußen. Es fehlt nun nicht viel und sie könnte es wagen, aber rechtzeitig verfällt sie auf eine letzte Probe. Sie stellt sich auf die Zehenspitzen und schnuppert wieder. Wenn der Geruch sich jetzt nicht ändert, fürchtet sie keine Überraschungen mehr und riskiert auch das andere Bein. Drin steht sie. Die Türe, durch die sie sich retten könnte, bleibt weit offen.

Die Geruchschmale wirkt isoliert, wo immer sie sich befindet, sie hat eine Schicht von Vorsicht um sich; andere achten beim Niedersitzen auf ihre Kleider, sie auf ihre Isolierschicht. Heftige Sätze, die diese durchstoßen könnten, fürchtet sie, sie wendet sich leise an Leute und erwartet Antworten ebenso leise. Sie kommt niemand entgegen, in der Distanz, die sie hält, folgt sie den Bewegungen der anderen: es ist, als würde sie, von ihnen getrennt, immerwährend mit ihnen tanzen. Die Entfernung bleibt dieselbe, jede Annäherung und jede Berührung gar versteht sie von sich fernzuhalten.
Solange es Winter ist, fühlt sich die Geruchschmale im Freien am wohlsten. Dem Frühjahr sieht sie mit Sorge entgegen. Da geht das Blühen und Duften los und sie

leidet unerträgliche Qualen. Gewissen Büschen weicht sie mit Umsicht aus, sie geht ihre eigenen und verzwickten Wege. Wenn sie aus der Ferne sieht, wie ein Unempfindlicher seine Nase in Flieder hineinsteckt, wird ihr übel. Zu ihrem Unglück ist sie anziehend und wird mit Rosen verfolgt, sie vermag sich nur durch rasche Ohnmachten vor ihnen zu retten. Das hält man für übertrieben, und während sie von destilliertem Wasser träumt, stecken ihre Bewunderer die übelriechenden Köpfe zusammen und beratschlagen, zu welchen Blütendüften sie wohl zu bekehren wäre.

Die Geruchschmale gilt als vornehm, weil sie jede Berührung meidet. Sie weiß sich vor Heiratsanträgen nicht mehr zu helfen. Sie hat schon damit gedroht, sich zu erhängen. Aber sie tut es nicht, sie erträgt den Gedanken nicht, vielleicht noch den Retter riechen zu müssen, der sie abschneidet.

Die Habundgut hat gern alles nah beisammen. Sie breitet sich nicht aus, sie bleibt bei sich, sie will, was sie hat, übersehen können. Es muß nicht gleich groß sein, auch das Kleine hat seinen Wert, wenn es immer bei der Hand ist. Mit Geld geht sie sorgsam und zärtlich um, sie gibt nicht mehr als ein Zehntel davon aus und versorgt das Übrige. Sie gibt ihrem Geld zu essen, damit es nicht eingeht. Keinen Bissen tut sie, ohne daß für ihr Geld auch etwas abfällt.

Es ist rührend zu sehen, wie die Habundgut ihrem Geld eine Serviette umbindet, vor der Mahlzeit. Sie hat nicht gern, wenn es schmutzig wird, sie hat's gern sauber. Zwar kommt es vor, daß sie Noten erhält, die nicht neu sind. Aber unter ihrer Pflege verwandeln sie sich und strahlen wie am ersten Tage. Manchmal legt sie sie einzeln nebeneinander auf den Tisch, wie eine zahlreiche, sittsame Familie und gibt ihnen Namen. Dann zählt sie nach, ob sie auch alle da sind, und wenn sie brav gegessen haben, legt sie sie schlafen.

Die Habundgut geht kleine Schritte zwischen Truhe und Bett und trägt etwas, das sie dem einen entnimmt und ins andere hineintut. Mit dem Staubtuch ist sie ganz gern zur Hand, aber nicht zu sehr, etwas Zeit soll sich schon anlegen, mit der Zeit steigt der Wert, viel Zeit sollte man haben. Die Habundgut malt sich aus, wieviel wert alles sein wird, wenn sie ihren 80. Geburtstag feiert. Sie studiert die Preise und fragt ihren Sohn, der besucht sie einmal im Monat. Da bereitet sie sich alles vor und legt sich's zurecht, um jede Minute des Besuchs zu nützen. Es kommt so vieles, das man fragen möchte, kaum ist er fort, fällt's einem ein, da ist es schon besser, man überlegt sich's vorher.

Die Habundgut verkehrt nicht mit Nachbarn. Sie nützen einem nur die Schwelle ab und schnüffeln herum, kaum stehn sie im Zimmer, fehlt schon etwas. Da kann man lange suchen später, bis sich's wiederfindet. Das will sie nicht sagen, daß jeder ein Dieb ist, das nicht, aber die Sachen fürchten sich vor Fremden und verkriechen sich und wenn sie sich nicht so gut verstecken würden – wer weiß, ob sie dann nicht gestohlen würden.

Die Habundgut bekommt Post und läßt sie ein paar Tage uneröffnet liegen. Sie legt so einen Brief vor sich auf den Tisch und stellt sich vor, daß viel mehr drin ist. Ein bißchen Angst hat sie auch, daß es weniger ist, aber da das noch nie passiert ist und mit der Zeit alles steigt, kann sie warten und hoffen, daß es mehr ist.

Hie und da erscheint in Lokalen der Leichenschleicher. Man kennt ihn seit Jahren, aber er kommt nicht oft. Hat man ihn ein paar Monate nicht gesehen, so denkt man an ihn mit leichter Besorgnis. Er trägt immer die Tasche einer Luftlinie bei sich, Air France oder BEA. Er scheint sehr viel auf Reisen zu sein, da er oft für so lange verschwindet. Er ist immer auf dieselbe Weise wieder da. Er erscheint und bleibt ernst in der Türe stehen. Er mustert das Lokal nach Bekannten ab. Kaum hat er einen gesehen, geht er feierlich auf einen zu, grüßt, steht still, verstummt und sagt dann mit klagender, etwas singender Stimme: »Haben Sie gehört, N. N. ist gestorben.« Man erschrickt, denn man hat es nicht gewußt, und er ist schwarz angezogen, worauf man aber erst nach seiner Nachricht achtet. »Morgen ist das Begräbnis.« Er lädt einen zum Begräbnis ein, er erklärt einem, wo es ist und gibt einem ausführliche und genaue Anweisungen. »Kommen Sie doch«, fügt er hinzu, »Sie werden es nicht bereuen.«

Dann setzt er sich hin, bestellt sich etwas zu trinken, trinkt einem zu, gibt ein paar Worte von sich, sagt nie, wo er war, sagt nie, was er vorhat, erhebt sich, geht feierlich zur Tür, dreht sich noch einmal um, sagt: »Morgen um Elf« und verschwindet.

So geht er von Lokal zu Lokal und sucht nach Bekannten, die auch die des Verstorbenen sind, sorgt dafür, daß es nicht zu wenige sind, steckt sie mit seinen Begräbnisgelüsten an und lädt sie so nachdrücklich ein, daß manche, die gar nicht daran gedacht hätten, aus Angst vor der nächsten seiner Botschaften, die sie selbst betreffen könnte, kommen.

Seit seiner Geburt weiß der Ruhmprüfer, daß niemand besser ist als er. Er hat es vielleicht schon früher gewußt, aber da konnte er's noch nicht sagen. Jetzt ist er beredt und bemüht sich zu zeigen, wie infam es auf der Welt zugeht. Täglich durchfliegt er die Zeitung nach neuen Namen, was hat der da zu suchen, schreit er empört, der war doch gestern noch nicht da! Kann es denn mit rechten Dingen zugehen, wenn einer sich plötzlich in die Zeitung einschleicht? Zwischen Daumen und Zeigefinger packt er ihn, steckt ihn zwischen die Zähne und beißt darauf. Es ist nicht zu sagen, wie jämmerlich das neue Zeug nachgibt. Pfui Teufel Wachs! und das will Metall sein!

Es gibt ihm keine Ruhe, er geht der Sache nach, er ist gerecht, wenn er *etwas* ernst nimmt, ist es die Öffentlichkeit, ihm kommt man mit Betrugsmanövern nicht bei und er wird es dem unflätigen neuen Namen schon zeigen. Vom ersten Augenblick der Entdeckung an verfolgt er jede Regung dieses Abschaums. Da hat er etwas Falsches gesagt und dort kann er nicht buchstabieren. Wo ist er überhaupt zur Schule gegangen? Hat er wirklich studiert oder behauptet er's nur? Warum war er nie verheiratet? und wie verbringt er seine Freizeit? Wie kommt es, daß man noch nie von ihm gehört hat? Früher war auch eine Zeit, und wo war er da? Wenn er alt ist, hat er etwas lang gebraucht, wenn er jung ist, soll er sich die Windeln waschen lassen. In allen vorhandenen Lexika schlägt der Ruhmprüfer nach und findet den Gesuchten zu seiner Zufriedenheit nirgends.
Man kann sagen, daß der Ruhmprüfer mit dem Betrüger lebt, er spricht und träumt von ihm unaufhörlich. Er

fühlt sich von ihm belästigt und verfolgt und weigert sich beharrlich, ihm ein Leumundszeugnis auszustellen. Wenn er nach Hause kommt und endlich seine Ruhe will, stellt er ihn in eine Ecke des Zimmers ab, sagt kusch! und droht ihm mit der Peitsche. Doch der schlaue neue Name hat Geduld und wartet. Er sondert einen eigentümlichen Geruch von sich ab und wenn der Ruhmprüfer schläft, sticht er ihm scharf in die Nase.

Der Schönheitsmolch, von manchen kurz Schmolch genannt, ist auf alles Schöne aus, das es auf der Welt gab, gibt und geben wird und findet es in Palästen, Museen, Tempeln, Kirchen und Höhlen. Es stört ihn nicht, daß etwas, das schon lange als schön galt, darüber ein wenig ranzig geworden ist, für ihn bleibt es, was es immer war, auch wenn neue Schönheiten täglich dazukommen, jede ist es für sich, keine schließt die andere aus, jede erwartet von ihm, daß er anbetend davor stehen bleibt und bewundert. Man soll ihn nur vor der Sixtinischen Madonna sehen oder vor der nackten Maja, wie er von verschiedenen Seiten kommt, sich in verschiedenen Distanzen aufstellt, lange verweilt, oder auch kurz, in reichhaltiger Abwechslung und bedauert, wenn es nicht möglich ist, von hinten zu kommen.

Der Schönheitsmolch oder Schmolch hütet sich, Worte zu machen, die seiner Anbetung abträglich wären. Er öffnet sich weit und verstummt, er vergleicht nicht, er räsonniert nicht, er bezieht nicht auf Zeiten, Stile und Sitten. Er will nicht wissen, wie es dem Schönheitserfinder ging, und schon gar nicht, was er sich gedacht hat. Jeder hat irgendwie gelebt, es ist uninteressant, ob es schwer war, und zu schwer kann es gar nicht gewesen sein, sonst wäre das Schöne nicht da, schon daß er es in sich trug, war ein Glück, um das er zu beneiden wäre, wenn es auf solche subjektiven Nebensachen ankäme.

Persönlich geht es dem Schmolch sehr gut, privat hat er keine Schwierigkeiten, die Schönheiten aufzusuchen und sich ihnen zu widmen. Er hütet sich, sie zu kaufen, um nicht parteiisch zu werden, auch wäre es ein hoffnungsloses Beginnen, denn die meisten Schönheiten sind in festen Händen. Das Geld, das er hat, ist uninteressant, er verwendet es ökonomisch für seine unaufhörlichen Reisen. Er verschwindet auf diesen, man sieht ihn nie unterwegs, es ist, als würde er mit einer Tarnkappe reisen. Dafür tritt er vor den Schönheiten in Erscheinung und wer ihn einmal gesehen hat, in Arezzo oder der Brera, sieht ihn bestimmt in Borobudur und Nara wieder.

Der Schmolch ist häßlich, jeder geht ihm aus dem Weg, es wäre unfein, sein abstoßendes Äußeres zu schildern. Es sei erwähnt, daß er nie eine Nase hatte. Seine Glotzaugen, seine Henkelohren, sein Kropf, seine schwarzen, verfaulten Zähne, der pestilenzialische Gestank, der sich aus dem Mund verbreitet, seine bald piepsende, bald krächzende Stimme, seine teigigen Hände – was tut's, was tut's, da er sie niemand hinhält und seinen Platz vor allen Schönheiten unbeirrbar findet?

Die Mannsprächtige ist eine Kurvenblüte und stellt sich gern auf. Da steht sie, hebt den Arm langsam hoch und hält ihn mit wohleinstudierter Geste oben. Wenn alles geblendet die Augen schließt, läßt sie ihn, etwas rascher, fallen. Dann blickt sie in die Ferne, als wäre niemand da, dreht sich um 180° herum, hebt, noch langsamer, den anderen Arm hoch und fingert versonnen an ihrer Frisur, die nicht weniger gepflegt ist als ihre Achseln.

Sie sagt kein Wort, was könnte sie schon sagen, das ihre Pracht erhöht, sie schweigt und läßt tief blicken. Im Privatleben heißt sie Frau Achselglanz, wann war je ein Name so angemessen. Wo immer sie sich findet, unter Leuten oder zu Hause, sie wird es nicht müde, dazustehen, diese Figur! und bald den linken, bald den rechten Arm hochzuheben. Es ist zu betonen, daß sie das auch zu Hause tut, auch ganz allein vor ihrem Spiegel.

Sie tut es für sich, hat sie selbst gesagt, der einzige Satz, der von ihr überliefert ist, es gehört viel Anmaßung dazu, sie als Mannsprächtige zu bezeichnen. Bei Tag ist sie ruhig, da kann sie stehen und sich ihrer gehobenen Arme unaufhörlich erfreuen. Nachts ist es schwerer, sie träumt nicht immer von sich und sie mag sich nicht vergessen. So schläft sie unruhig, sie schläft bei Licht. Von Zeit zu Zeit erwacht sie, gleitet vom Lager – schon sieht sie sich, schon hebt sie den Arm, schon strahlt ihre Achsel, schon blickt sie in die Ferne. Dann legt sie sich, halbwegs beruhigt, wieder schlafen. Wenn ihr das nicht genügt, kommt der andere Arm an die Reihe.

Soll man sich wundern, daß viele Männer hinter ihren Achseln her sind? Doch sie bemerkt keinen; sie ist gefeit, was kann sie dafür, daß Männer ihre Pracht mißdeuten. Was um seiner selbst willen da ist, beziehen sie auf sich, ist es denn die Schuld der Mannsprächtigen, daß sie so gebaut ist? Sie hat auf ihren Teint zu achten, dem Liebe nicht gut tut. Das Vollkommene gehört niemandem und erfordert Distanz, darum, nur darum blickt sie in die Ferne.

Frau Achselglanz lebt allein und duldet weder Schoß-hund noch Katze, die ja doch nicht erfassen würden, wer sie ist; unvorstellbar wäre ihr ein Kind, für das sie sich bücken müßte. Auch wenn sie es hochheben würde, es vermöchte sie ja doch nicht zu sehen und was verstünde es schon von ihren glänzenden Partien? Sie ist dazu verurteilt, allein zu leben, sie nimmt ihr Schicksal tapfer auf sich und niemand, niemand hat je eine Klage aus ihrem Mund vernommen.

Der Schadenfrische hat ein schiefes Gesicht und näselt.
Er hält wenig von Leuten und sucht nach Beweisen. Er
kennt Menschen nur dann, wenn ihnen etwas schief
geht. Mit Krankheiten, die zu häufig sind, begnügt er
sich nicht, Unfälle sind schon besser. Wenn sie in
schwere Verletzungen ausarten, belebt er sich, es gibt
dann kein Detail, das er sich entgehen läßt, je schlimmer
es ausgegangen ist, desto besser für ihn. Er hört sich's an,
schüttelt nicht den Kopf, frägt und frägt und läßt sich
gern an Unfallstellen führen. Da wird das Geschehen
nachkonstruiert, und so unvermeidlich es war, es war
doch immer die Schuld des Betroffenen. Der Schadenfrische braucht das Unglück, es ist Manna des Himmels
für ihn, ihm geht's gut, solange er genug über das
Unglück der Leute erfährt, wenn er lange nichts gehört
hat, geht er ein und vertrocknet.

In allem, was ihm erzählt wird, wittert er das peinliche
Ende. Er warnt nie davor, er wird sich hüten. Er ist der
Überzeugung, daß Menschen auf sich selber stehen
sollen, wer sich einmischt und Ratschläge gibt, zieht das
Unglück auf sich; er weiß nur von *einem* Weg, durchs
Leben zu kommen, nämlich dem, es gewähren zu
lassen.

Der Schadenfrische hat Respekt vor Geschehnissen. Es
kommt, wie es kommt, nur Schwache schauen weg,
ein Mann sieht jedem Unglück der anderen mutig ins
Auge. Alles was ihn nicht trifft, beweist seine Einsicht.
Man möchte es nicht glauben, wieviel Unglück es
aus der Welt zu holen gibt, ein Auge sucht in dieser
Richtung danach, das andre in jener. Seine Zurück-

haltung, wenn er wieder etwas gewittert hat, übt er im Näseln.

Der Schadenfrische hält sich für gefeit, weil seine Augen nie Ruhe finden. An den Unfällen der anderen weicht er dem aus, was ihn selber bedrohen könnte. Kaum ist etwas passiert, passiert schon das Nächste, es ist einfach keine Zeit dazu da, daß ihm selber etwas passieren könnte. Er sagt gern: ›Das mußte sein!‹ und er sagt auch gern: ›Ich nicht.‹ Mit Zeitungen läßt sich der Schadenfrische nicht abspeisen. Nur wenn es lange nichts Richtiges gab, wenn er die Dürre spürt, wie sie in ihm um sich greift, nimmt er – nicht ohne Widerstreben – eine saftige Katastrophe zur Hand und ergeht sich in Einzelheiten, die ihm nicht persönlich zugetragen wurden.

Zu jedem Verbrechen unter der Sonne bekennt sich die Schuldige. Ob sie darüber reden hört, ob sie's in der Zeitung liest – gleich erkennt sie, was sie getan hat und läßt den Kopf hängen. Sie grübelt darüber nach, wie es möglich war, wie konnte sie etwas so Furchtbares vergessen. Sie hat sich's nicht träumen lassen, sie hatte keine Ahnung, noch am Morgen, als sie aufstand, war sie mit einem ganz anderen, ihrem vorigen Verbrechen beschäftigt. Aber sobald das Neue ausgesprochen war, sobald sie's las, traf es sie mit einer Gewißheit, die alles Frühere beiseitestieß, und nun hat sie nur diesen einen Gedanken.

Das einzig Richtige wäre, sich gleich zu stellen, zur Polizei zu gehen und ausführlich zu bekennen. Aber damit hat sie schon schlechte Erfahrungen gemacht, Polizisten, wie sie nun zur Genüge weiß, haben überhaupt keine Menschenkenntnis. Sie braucht nur den Mund zu öffnen und man hält sie für unschuldig. Die Leute hören sie nicht einmal richtig an, man schneidet ihr die Rede ab, sagt freundlich ›Soso?‹ und schickt sie nach Hause. Es ist, als würden die Gesetze für sie nicht gelten. Sie hat es mit schriftlichen Eingaben versucht und ist der Aufdeckung mancher Verbrechen zuvorgekommen, indem sie sofort auf die Schuldige verwies, sich selber. An Einzelheiten, mit denen sie ihre Erklärung belegen kann, fehlt es ihr nicht: sobald sie nur weiß, daß sie's getan hat, entwickelt sie ein stupendes Gedächtnis. Aber immer gelingt es anderen, sich einzuschieben und die Schuld an sich zu reißen. Die furchtbaren Prozesse, in denen andere statt ihrer mit Zuchthaus oder Gefängnis bestraft werden, kann sie gar nicht lesen. Sie schämt sich für den Zustand der Justiz, die von ihr nichts wissen will, da sie doch immer bereit wäre, ihre Tat zu büßen. Wieviel Geld nur für Nachforschungen hinausgeworfen wird, welch ein Aufwand, welche langwierigen Verhandlungen! Was denken sich diese Narren, die schließlich gestehen, was kann das für eine seelische Verirrung sein, die sie zwingt, etwas zu bekennen, was sie unmöglich getan haben können?

Manchmal, wenn sie von solchen Vorgängen in der Welt so verwirrt ist, daß sie sich gar nicht mehr zurechtfindet, fragt sie sich, ob es denkbar ist, daß ein- und dasselbe Verbrechen zweimal begangen wurde. Sollten denn alle Narren sein und sie der einzige klarblickende Mensch? Sie bildet sich bei Gott nichts auf sich ein, wie soll ein Mensch, der zu so etwas imstande war, sich noch etwas einbilden. Aber sonderbar ist es schon, wie wenig die meisten Leute von sich wissen.

Die Schuldige bricht nicht zusammen. Sie hält sich gut, sie sammelt ihre Kraft, sie lebt für den Tag, da ihr Gerechtigkeit widerfährt. Verbrechen kommen, Verbrechen gehen, aber dann, wenn man sie einmal anerkennt, will sie hocherhobenen Hauptes dastehen und die Strafe, die man ihr schuldet, dankend entgegennehmen.

Der Fehlredner sucht sich zum Reden Leute aus, die nicht wissen, wovon er redet. Er kennt den ratlosen Blick, das hilflose Blinzeln, wenn er jemanden anspricht, und nur wenn es hilflos genug ist, wirft er sich in seine Rede. Da fliegen ihm die Einfälle nur so zu, Argumente, auf die er sonst nicht verfiele, stehen ihm in Hülle und Fülle zur Verfügung; er fühlt, wie er alles verwirren kann, bis zur dunkelsten Begeisterung steigert er sich, rings um ihn orakelt die Atmosphäre.

Aber wehe, wenn es über das Gesicht des Angesprochenen zuckt, wie plötzliche Einsicht, wie Verständnis – dann sackt der Fehlredner in sich zusammen, verheddert sich, stottert, stockt, probiert es in peinlichster Verlegenheit noch einmal und wenn er merkt, daß es alles umsonst ist, daß der Andere versteht und entschlossen ist, auf seinem Verständnis zu beharren, gibt er's auf, verstummt und wendet sich brüsk ab.

Solche Niederlagen sind aber nicht häufig. Meist gelingt es dem Fehlredner, unverstanden zu bleiben. Er hat Erfahrung und sucht sich die Leute aus, er wendet sich nicht an jeden. Er kennt diese Sorte, die auf alles eingeht. Als ob jemand ahnen könnte, wovon er zu sprechen gedenkt! Er weiß es selber nicht vorher; nirgends, auch in den Sternen nicht, steht geschrieben, was er sagen wird, wie soll es ein anderer wissen? Der Fehlredner ahnt, daß Inspiration blind ist. Nur am Nichts sei es ihr gestattet, sich zu entzünden. Leicht wäre es, von den Verirrungen auszugehen, in denen niedere Naturen sich gefallen. Er trägt die Welt als Chaos in sich. Ihm ist das

Chaos eingeboren, in hundert Jahren einmal erwählt es sich einen Träger: ihn.

Man könnte meinen, es wäre das Erhabenste für ihn, das Chaos mit sich selber auszumachen. Man stellt sich den Fehlredner vor, wie er nur zu sich allein spricht. Aber das ist ein unverzeihlicher Irrtum. Der Fehlredner vermag es nur, sich an der Verstocktheit anderer zu entfachen. In dieser dichtbevölkerten Stadt geht er auf und ab und im Kreis herum, bleibt vor diesem stehen oder jenem, wirft einen nichtssagenden Köder aus, beobachtet seine Wirkung und nur wenn er die Ratlosigkeit gewahrt, die er sich wünscht, legt er los und erhebt sich zu seinem Chaos.

Die Tischtuchtolle ist blütenweiß und atmet in Linnen. Ihre Finger sind strikt, ihre Augen eckig. Seit sie denken kann, hat sie nie Schnupfen gehabt und doch ist die Stimme ein wenig heiser. Sie sagt, daß sie noch nie einen Traum gehabt hat, und man glaubt's ihr.

Manche kommen zu ihr, um sich Ordnung zu holen. Sie ist unwiderstehlich. Sie sagt wenig, aber was sie sagt, hat die Glaubenskraft einer ganzen Kirche. Es ist nicht ausgemacht, daß sie betet, sie ist selbst ihre Kirche. Wenn sie die Blütenweiße zelebriert, versinkt man vor Scham, daß man so lange in Schmutz gelebt hat. Verglichen mit ihr ist alles Schmutz, da hilft kein Leugnen. Sie öffnet die eckigen Augen groß, richtet sie ungetrübt auf einen und man spürt von innen her ein Leuchten. Da ist es, als trüge man alle ihre Tischtücher in sich, strikt gefaltet, nie ausgebreitet, auf einem blütenweißen Haufen, ewig, ewig.

Sie ist aber nie ganz zufrieden, denn selbst sie findet Flecken auf ihren Blüten. Man soll sie sehen, wenn sie urplötzlich stutzt, weil sie einen winzigen Punkt gewahrt hat. Da wird sie gefährlich, wie eine Giftschlange. Da öffnet sie den Mund und zeigt schreckliche Giftzähne. Da hißt sie, bevor sie zustößt, wehe dem winzigen Fleck. Es ist vorgekommen, daß er aus Angst vor ihr verschwand und daß sie dann stundenlang beharrlich nach ihm suchte. Aber es kommt auch vor, daß er nicht verschwindet. Dann erlebt man einen Orkan. Sie packt das Blütenweiße, sie packt es nicht allein, sie packt es zusammen mit zwanzig andern Blütenweißen, wo es geschichtet lag und macht sich daran, den ganzen hohen Pack auf der Stelle wieder zu waschen.

In solchen Augenblicken ist es geraten, sie allein zu lassen, denn ihre Raserei kennt keine Grenzen. Was immer in die Nähe gerät, wird mitgewaschen, Tische, Stühle, Betten, Leute, Tiere. Da geht es zu wie beim Jüngsten Gericht. Da findet nichts vor ihren eckigen Augen Gnade. Da sind schon Tiere und Leute totgewaschen worden. Da geht es zu wie vor Erschaffung der Geschöpfe. Da wird Licht und Finsternis getrennt. Da ist Gott seiner weiteren Sache nicht mehr sicher.

Der Wasserhehler lebt in Angst, daß er verdursten muß und sammelt Wasser. Sein Weinkeller sieht nach etwas aus, er ist aber keiner, alle Flaschen sind mit Wasser gefüllt, von ihm selbst versiegelt, nach Jahrgängen geordnet.

Den Wasserhehler peinigt die Verschwendung von Wasser. So hat es damals auf dem Mond begonnen. ›Wasser? Wer wird denn mit Wasser sparen? Davon haben wir genug bis in alle Ewigkeit!‹ So ließ man die Hähne halboffen, sie tropften immer, man badete täglich. Das war eine leichtfertige Rasse oben. Und wohin haben die's gebracht? Als die ersten Berichte vom Mond kamen, geriet der Wasserhehler in die größte Erregung. Er hatte immer gewußt, daß es am Wasser lag, an ihrer Wasserverschwendung waren die Mondmenschen zugrunde gegangen. Er hatte es überall gesagt und die Leute lachten und hielten ihn für einen Narren. Aber jetzt, jetzt war man oben gewesen, und man konnte es Schwarz auf Weiß sehen, sogar in Farbe. Kein Tropfen Wasser und nirgends ein Mensch! Es war nicht schwer, sich beides zusammenzureimen.

Der Wasserhehler spart beizeiten. Er geht zu Nachbarn und bittet um etwas Wasser. Man gibt ihm gern, er kommt wieder. So schont er den eigenen Hahn, der seine Empfindlichkeit teilt und sich sperrt, bevor es zu spät ist. Alles was man ihm gibt, hebt er gut auf, kein Tropfen geht auf dem Weg verloren. Da liegen die Flaschen in der Küche schon bereit, die Etiketten mit der fertigen Jahreszahl, das Wachs zum Versiegeln. Eigentlich ist das gar keine Küche mehr, es ist eher als Wasseratelier zu bezeichnen. Er hat schon hübsche Vorräte und wenn es zum äußersten kommt, eine Weile kann er mit seiner Familie durchhalten. Aber er spricht nicht davon, er fürchtet sich vor Einbrechern und hält es für klüger, von seinem reichhaltigen Keller zu schweigen.

Der Wasserhehler weint, wenn es regnet. Heute war es das Letztemal, flüstert er, an diesen Tag werden wir noch lange denken. Zwar regnet es wieder, aber er, der ein Tropfenzähler ist, weiß, daß es jedesmal weniger ist, bald wird es ganz zu regnen aufhören, die Kinder werden fragen: wie war das, Regen, und man wird in der herrschenden Dürre Mühe haben, es ihnen zu erklären.

Der Wortfrühe spricht auf Schlittschuhen und kommt Fußgängern zuvor. Die Worte fallen ihm aus dem Mund wie taube Haselnüsse. Sie sind leicht, da sie leer sind, doch sind's ihrer viele. Auf tausend taube kommt eine mit Kern, aber das ist Zufall. Der Wortfrühe sagt nichts, über das er nachgedacht hat, er sagt es vorher. Nicht das Herz, aber die Zungenspitze geht ihm über. Es ist auch gleichgültig, was er sagt, wenn er nur damit anfängt. Mit einem Blinzeln signalisiert er, daß es weitergeht, es ist noch nicht zu Ende, er blinzelt dann wieder und blinzelt so lange, bis der andere die Hoffnung aufgibt und zuhört.

Der Wortfrühe läßt sich nicht zum Sitzen nieder, das ist eine langsame Sache, er tummelt sich lieber auf Eislaufplätzen, wo es hell und glatt ist und andere seinesgleichen ihn eilig bewundern. Die Dunkelheit meidet er. Die Zeitung schluckt er. Er liest sie, als spräche er sie selber, so rasch, schon geht sie in seine Worte über, kullert ihm aus dem Mund und berichtet von gestern und übermorgen. Er hat es leicht mit der Zeit, während andere sich mit ihr abschleppen, hat er sie hinter sich und kommt ihr zuvor und holt nie Atem, um zu verschnaufen. So ist es auch gleichgültig, welche Zeitung er liest, er holt sich eine aus jedem Haufen, keine ist alt, wenn's nur eine andere ist und alle Überschriften sind leicht zu vertauschen.

Der Wortfrühe hat sich noch nie geändert, denn es bleibt nichts an ihm hängen. Leute und Kleider ist er gleich los: ohne es recht zu merken, gerät er an andere; und was die Leute anlangt, so haben sie alle Vornamen, die sich wiederholen. Wenn es ohne Namen nicht geht, sagt er irgendeinen, und blinzelt schon wieder, kaum hat er's gesagt, man hält es für einen Spaß und zum Fragen kommt keiner.

Angehörige hat der Wortfrühe zum Üben. Sie sind für ihn nicht anders wie jedermann, doch fällt es ihm schon lästig, daß sie nicht ganz neu sind. Lieber wäre es ihm, man könnte sie gegen andere vertauschen, und diese wieder, und immer so weiter, denn sie legen zu viel Wert darauf, einem bekannt zu sein und mißbrauchen leicht einen Augenblick dazu, den Mund zu öffnen und etwas zu sagen.

Die Silbenreine hat eine Waage aus Gold, die zieht sie aus
der Tasche und stellt sich beiseite. Dann holt sie aus
ihrem Mund ein Wort und legt es rasch auf die Waage.
Sie kennt von früher her sein Gewicht, doch hat sie ein
heikles Gewissen. Bevor sie's abgewogen hat, gebraucht
sie's nicht. Sie sorgt dafür, daß jede Silbe zu ihrem
Rechte kommt und achtet darauf, daß keine verschluckt
wird. Wenn jede an ihrer Stelle liegt, nicht zu breit, nicht
zu schmal, klar umrissen und ohne Allüren, nickt sie und
erteilt sich die Erlaubnis, das Gesamtgewicht des Wortes
abzulesen. Es ändert sich kaum, aber die Bestätigung
entscheidet. Worte, deren Gewicht zu sehr schwankt,
führt sie nicht im Munde.

Die Silbenreine spricht so unverrückbar richtig, daß
andere mit offenem Munde auf sie hören. Vielleicht
hoffen sie die Worte selbst zu schlucken und für günstige
Gelegenheiten zu verwahren. Unsinnige Hoffnung!
Worte passen nicht in jeden Mund, aus manchen springen sie zurück wie Kugeln. Es ist erfreulich, daß sie nicht
zu halten sind, wo sie sich nicht angemessen fühlen.
Silbenreine sind rar und lassen sich an den Fingern einer
Hand abzählen. Es gehört ein entsagungsvolles Leben
dazu und eine unbestechliche Gesinnung. Man muß es
verstehen, die Worte unvermischt zu bewahren und nie
zu selbstsüchtigen Zwecken zu mißbrauchen. Es kommt
nicht darauf an, was man sagt, doch muß es rein gesagt
sein. Am sichersten ist es, man begnügt sich damit, mit
reinen Worten nichts zu sagen.

Die Silbenreine nimmt manchmal ein Buch zur Hand,
bloß um es zu prüfen. Worte, die nicht ganz verloren

sind, löst sie aus ihrer verkommenen Umgebung heraus und legt sie in eine goldene Wanne. Da wäscht sie sie sorgfältig mit edlen Säuren ab und wenn alle Spuren ihrer Befleckung geschwunden sind, holt sie sie mit einer eisgekühlten Pinzette heraus, trägt sie zu einer Quelle, deren Wasser geprüft sind und läßt sie hier im Mondlicht sieben Nächte liegen. Es muß eine seltene Quelle sein, damit das Läuterungswerk nicht von Naturnarren gestört wird.

Die Silbenreine hat einen Mund, in dem Worte nicht schwären. Es heißt, daß sie ihn nie zum Essen verwendet, um ihre Schützlinge nicht zu gefährden. Sie nährt sich von aromatischen Flüssigkeiten, die ihnen wohltun. Ihr Leben ist jungfräulich wie das einer Vestalin. Doch fällt ihr dieses heilige Leben nicht schwer: sie führt es der Sprache zu Ehren, wie sie sein sollte, und solange Waage und Wanne golden sind, ist sie unverzagt und läßt sich von keinem rohen Verderber beirren.

Der Ohrenzeuge bemüht sich nicht hinzusehen, dafür hört er um so besser. Er kommt, bleibt stehen, drückt sich unbemerkt in eine Ecke, schaut in ein Buch oder in eine Auslage, hört, was es zu hören gibt und entfernt sich unberührt und abwesend. Man würde denken, daß er gar nicht da war, so gut versteht er sich aufs Verschwinden. Schon ist er woanders, schon hört er wieder hin, er weiß alle Orte, wo es etwas zu hören gibt, steckt es gut ein und vergißt nichts.

Nichts vergißt er, man muß den Ohrenzeugen sehen, wenn die Zeit gekommen ist, damit herauszurücken. Da ist er ein anderer, da ist er doppelt so dick und um zehn Zentimeter größer. Wie macht er das nur, hat er eigens hohe Schuhe zum Ausplaudern? Stopft er sich etwa mit Kissen aus, damit seine Worte schwerer und wichtiger erscheinen? Er tut nichts dazu, er sagt es ganz genau, manch einer wünscht sich, er hätte damals geschwiegen. Da sind alle diese modernen Apparate überflüssig: sein Ohr ist besser und treuer als jeder Apparat, da wird nichts gelöscht, da wird auch nichts verdrängt, es kann so schlimm sein wie es will, Lügen, Kraftworte, Flüche, Unanständigkeiten jeder Art, Schimpfworte aus abgelegenen und wenig bekannten Sprachen, selbst was er nicht versteht, merkt er sich genau und liefert es unverändert aus, wenn es gewünscht wird.

Der Ohrenzeuge ist durch niemanden zu bestechen. Wenn es um diese Nützlichkeit geht, die er allein hat, nähme er keine Rücksicht auf Frau, Kind oder Bruder. Was er gehört hat, das hat er gehört, daran könnte kein Herrgott rütteln. Aber er hat auch menschliche Seiten und wie andere ihre Feiertage haben, an denen sie sich von der Arbeit ausruhen, läßt er manchmal, wenn auch selten, die Klappen über seine Ohren fallen und verzichtet auf die Speicherung von Gehörtem. Das geschieht ganz einfach, indem er sich bemerkbar macht, er blickt den Leuten ins Auge, was sie unter solchen Umständen sagen, ist ganz uninteressant und reicht nicht dazu aus, sie ans Messer zu liefern. Wenn er die Geheimohren abgelegt hat, ist er ein freundlicher Mensch, jeder traut ihm, jeder trinkt gern mit ihm ein Glas, harmlose Sätze werden gewechselt. Niemand ahnt dann, daß es der Henker persönlich ist, mit dem er spricht. Es ist nicht zu glauben, wie unschuldig Menschen sind, wenn sie nicht belauscht werden.

Es gelingt ihm, alles zu verlieren. Er fängt mit Kleinigkeiten an. Er hat viel zu verlieren. Was für Orte es nur gibt, an denen es sich gut verlieren läßt.

Die Taschen, die er eigens dazu machen läßt. Die Kinder, die ihm auf der Straße nachrennen, ›Mister‹ hin, ›Mister‹ her. Er lächelt erfreut und bückt sich nie. Er wird sich hüten etwas wiederzufinden. So Viele können ihm gar nicht nachrennen, daß er sich buckt. Er hat verloren, was er verloren hat, und wozu hat er's überhaupt mitgenommen. Aber wie bleibt ihm so viel? Gehen ihm die Dinge nicht aus? Sind sie unerschöpflich? Sie sind es, aber niemand versteht es. Er scheint ein ungeheures Haus voll kleiner Gegenstände zu besitzen und es scheint unmöglich zu sein, sie alle loszuwerden.

Vielleicht kommen vollgeladene Wagen an die Hintertür und laden ab, während er zum Verlieren ausgeht. Vielleicht weiß er nicht, was in seiner Abwesenheit geschieht. Er kümmert sich nicht darum, es interessiert ihn nicht, wenn nichts mehr zum Verlieren da wäre, würde er schon Augen machen. Aber er war noch nie in dieser Situation, ein Mensch der ununterbrochenen Verluste, glücklich.

Glücklich, denn er merkt es immer. Man könnte denken, daß er es gar nicht bemerkt, man könnte denken, er geht im Traum und weiß gar nicht, wie er geht und verliert, es passiert von selber, ununterbrochen, immer, aber nein, so ist er nicht, er muß es auch spüren, jede Kleinigkeit spürt er, sonst macht es ihm keinen Spaß, er muß wissen, daß er Verluste hat, er muß es immerzu wissen.

Die Bitterwicklerin trägt an ihrem schweren Knäuel, sie trennt sich nie von ihm, sie hat ihn bei sich, er ist so schwer, daß sie ihn kaum schleppen kann, er wird schwerer. Sie hat ihn immer getragen, seit sie denken kann, es fällt ihr nicht ein, daß sie ihn loswerden könnte. Sie ist tief gebückt, sie tut manchen leid, aber allen, denen sie leid tut, setzt sie erbitterten Widerstand entgegen. Diese Armen ahnen nicht, wie schlecht es ihnen geht, sie ahnen nicht, was ihnen bevorsteht. Sie nähert sich und wirft einen schrägen Blick auf sie, von unten erfaßt sie das drohende Unglück. Sie weiß es sofort, Abhilfe gibt es nicht, was immer geschieht, es kann nur schlechter werden, von einer Begegnung zur anderen wird es schlimmer. Sie nickt und denkt an ihren Knäuel. Da sind sie alle hineinverwickelt, sie hat es schwer, aber die haben's schwerer.

Die Bitterwicklerin tut gern Gutes und sagt: Paß auf! Wenn man nur auf sie hören würde. Nicht unter Bäume gehen, sagt sie, es gibt morsche Äste. Keine Straße überqueren, es gibt bissige Autos. Nicht an Häusern entlanggehen, es fallen Ziegel vom Dach. Niemand die Hand geben und in keine Wohnungen gehen, es wimmelt von schlimmen Bazillen. Der Anblick schwangerer Frauen weckt ihre Verzweiflung: keine Kinder kriegen, sagt sie, wenn sie nicht bei der Geburt sterben, sterben sie später. So viele Krankheiten gibt es, es gibt mehr Krankheiten als Kinder und alle stürzen sich über das arme Wurm her und warum soll es noch so leiden. Da ist es besser, es kommt nicht zur Welt.
Die Bitterwicklerin hat selbst nie ein Kind getragen, drum darf sie's sagen. Sie hat nie einem Mann getraut, sie

schaut gleich weg, wenn ein Mann sie so anschaut. Sie hat für Leute genäht, aber auch das ist nicht sicher. Sie hat Leute gekannt, die tot waren, bevor sie fertig genäht hatte. Von denen hat man das Geld nicht gekriegt. Doch sie klagt nicht. Sie tut es in den Knäuel. Auf den verläßt sie sich, da ist alles wahr, so wie es im Knäuel drin liegt, geschieht es.

Die Bitterwicklerin schläft stehend in einer vergessenen Sackgasse. Der Knäuel ist ihr Bett und ihr Kissen. Sie ist vorsichtig und nennt ihren Namen nicht. Sie hat nie einen Brief entgegengenommen. In einem Brief steht immer ein Unglück. Sie sieht den Briefträgern zu und wundert sich, die tragen lauter Unglück herum und die dummen Leute lesen's.

Der Saus und Braus wäre früher mit dem Wind gekommen, jetzt geht es rascher. Kaum ist sein Flugzeug in Bangkok gelandet, besieht er sich die Abfahrtszeiten nach Rio und macht sich gleich eine reservatio mentalis für Rom. Der Saus und Braus lebt im Sturm der Städte. Überall gibt es etwas einzukaufen, überall etwas zu erfahren.

Er lebt gern heute, denn wie war es früher? Wohin kam man schon, und wie lästig und gefährlich war das Reisen! Jetzt geht es, ohne daß man das Geringste dazu tut. Man nennt eine Stadt und schon ist man dort gewesen. Vielleicht gerät man auch wieder einmal hin, wenn sich das im Saus und Braus so fügt, ist alles möglich. Die Leute glauben, daß er schon überall war, doch er weiß es besser. Neue Flugplätze werden angelegt, neue Linien springen ins Leben. Zittergreise mögen von ruhigen Meerfahrten träumen, er wünscht ihnen viel Vergnügen auf ihren Deckstühlen, für ihn ist das nichts, er hat es eilig.

Der Saus und Braus hat seine eigene Sprache. Sie besteht aus Namen von Städten und Geldeinheiten, aus exotischen Spezialitäten und Kleidungsstücken, aus Hotels, aus Stränden, aus Tempeln und Nachtlokalen. Er weiß auch, wo gerade ein Krieg im Gang ist, das kann lästig werden. Doch in dessen Nähe ist oft ein besonderer Saus und wenn es nicht zu gefährlich ist, tut er seinen Braus dazu, fährt auf zwei, drei Tage hin und dann rasch woandershin zum Kontrast, wo das Gegenteil von Krieg ist.

Der Saus und Braus hat keine Vorurteile. Er findet die Menschen überall gleich, denn alle wollen immer etwas kaufen. Ob es Kleider oder Antiquitäten sind, sie drängen sich in Geschäften. Überall gibt es Geld, auch wenn es verschieden ist, überall wird gewechselt. Man zeige ihm einen Ort auf der Welt ohne Maniküre und Elendsquartiere. Wenn es nicht zu lange dauert, ist ihm nichts Menschliches fremd, er hat für alles Verständnis und Interesse. Ein Saus und Braus, den man gewähren läßt, ist niemand schlecht gesinnt, es wäre gut um die Welt bestellt, wenn alle wären wie er. Alle werden es sein, doch ist es besser, man lebt, solange es nicht so weit ist. Ein Vergnügen wird der Massen-Saus-und-Braus nicht sein. Er seufzt rasch, vergißt es und rettet sich ins nächste Flugzeug.

In einem Traum wurde der Mondkusine offenbart, daß sie Verwandte auf dem Mond habe. Sie hatte es schon geahnt, denn sie war noch nie in ein Land gekommen, ohne auf Leute zu stoßen, die ihr bekannt und vertraut erschienen. Freunde waren es nicht, sie hatte sie noch nie gesehen, auch verstand man nicht ihre Sprache. Es war eher etwas in der Erscheinung: die Neigung des Kopfs, die Rundung der Nägel, die erwartungsvolle Stellung der Füße. Man fühlte sich schon voneinander angezogen, bevor man diese Einzelheiten bemerkte. Auf dem bewegten Hauptplatz einer exotischen Stadt stand plötzlich ein Mensch vor einem, der sich von allen übrigen abhob. Er ging so sicher auf einen zu, als habe man sich gestern von ihm verabschiedet. Er faßte einen unverkennbar ins Auge, auch ihm war man unter allen aufgefallen; und obwohl manchmal Irrtümer vorkommen mögen, – es ist nicht wahrscheinlich, daß zwei wildfremde Menschen, die einander nie begegnet sind, sich zur selben Zeit auf dieselbe Weise irren. Auch läßt es sich sehr bald feststellen, daß keine Berechnung dahintersteckt, denn wenn der Plötzliche nichts von einem will und nur seinem reinen Staunen nachgibt, wenn man sieht, daß ihm genauso zumute ist wie einem selbst, muß es etwas zu bedeuten haben.

Die Mondkusine läßt niemand Plötzlichen los, ob Mann oder Frau, aber Frauen sind ihr lieber, da Mißverständnisse eher zu verhüten sind, die leicht zu Enttäuschungen führen. Man probiert ein wenig und gewöhnlich findet sich eine dritte Sprache, die der Verständigung dient, man setzt sich zusammen und tauscht Herkünfte aus und bald schrumpfen die scheinbaren Distanzen. Es ist viel gewandert worden auf dieser Welt und aus unzähligen Gründen haben Menschen ihr Land verlassen. Die Erde ist klein, das ist heute bekannt, Entfernungen haben wenig zu bedeuten. Schon ist man bei einem Namen angelangt, der beiden etwas sagt, und mit ein wenig Geduld und sehr viel Takt erweist sich, es ist kaum zu glauben, daß man zur selben Familie gehört und vielleicht gar von der Existenz des anderen eine Ahnung hatte. Wer Sinn dafür hat, wer Augen und Erinnerung offen hält, hat es nicht nötig, sich um Fremde zu bemühen, denn er hat überall Verwandte.

»Ich führe darüber Buch«, sagt die Mondkusine, »und reise aus keinem anderen Grunde. Ich bin noch in keinem Land gewesen, in dem ich nicht Verwandte gefunden hätte. Die Welt kann nicht so böse sein, wie man sagt. Warum suchen nicht alle nach ihren Familien? Statt in die Fremde zu reisen, um dort fremd zu sein, soll man reisen, um sich heimisch zu fühlen.«

Sie hat die Wahrheit ihrer Ahnung bewiesen und so fühlt sie sich wohl, wo immer sie ist, denn das Erste, was sie nach ihrer Ankunft irgendwo tut, ist: ihre Familie zu etablieren. Selbst in den kleinsten Ländern findet sie sich zurecht, und wenn es nicht mehr als zehn Menschen in einem Lande gäbe, mit einem von ihnen wäre sie todsicher verwandt.

Als die erste Mondfahrt vorbereitet wurde, war es ihre Sorge, eine Botschaft mitzusenden, die ihrer Kusine galt. Einen der Fahrer überzeugte sie davon, wie wichtig es wäre, diesen Kontakt zu nützen und er versprach ihren Brief als erstes auf dem Mond zu deponieren. Man weiß noch nicht sicher, ob er ihre Kusine erreicht hat. Aber möglich ist alles, und sobald es sich herausstellt, daß ihr Gefühl sie wieder einmal nicht getrogen hat, wird ›Mondkusine‹, wie man sie jetzt spöttisch nennt, zu ihrem Ehrennamen werden.

Der Heimbeißer hat eine einschmeichelnde Art und versteht sich auf neue Freundschaften. Er macht sich besonders bei Damen beliebt, denen er die Hand küßt. Ohne je einer zu nahe zu treten, beugt er sich vor, ergreift die Hand wie eine Kostbarkeit und führt sie den weiten Weg an die Lippen. Durch einen besonderen Schwung verlängert er den Weg und es gelingt ihm, in jeder, wie immer erfahren sie sei, das Gefühl ihrer Unerlangbarkeit zu wecken. Bedauernd läßt er die Hand wieder fahren und wenn sie zum Schluß ganz langsam seinen Fingern entgleitet, spürt man die Traurigkeit seines Verzichts und wünscht sich, ihn auszuzeichnen.

Das vergißt sich nicht und so verschafft sich der Heimbeißer die schönsten Einladungen. Bei der Einweihung eines neuen Hauses muß man ihn dabeihaben. Er bringt den Duft der alten Zeit mit sich. Allen Damen wird er eingehend vorgestellt und küßt der Reihe nach Hände. Unauffällig, nur für den Kenner ersichtlich, stehen die Damen Schlange, es soll vorgekommen sein, daß eine, die bereits an der Reihe war, sich hinten wieder anstellte. Doch der Heimbeißer sieht zu, daß er fertig wird, denn nicht dafür ist er gekommen.

Der Heimbeißer sucht nach einem Zimmer, in dem er allein ist. Es soll nicht zu klein sein und auch nicht zu abgetrennt, die Luft und die Laute der Gesellschaft seien auch hier zu spüren. Er legt Wert darauf, daß die Türe während seiner Verrichtung offen bleibt. Es muß sich etwas Kostbares in diesem Zimmer finden: eine Tapisserie, ein Brokatvorhang, eine Plastik, ein Bild. Er war noch nie in diesem Hause, aber er hat sich gut umgesehen. Auch beim Händeküssen hat er die Augen offen.

Der Heimbeißer geht nie in ein fremdes Heim, ohne ein Stück davon abzubeißen. Man sollte ihn nicht allein lassen. Er weiß nie vorher, was er abbeißen wird. Es ergibt sich. Wahrscheinlich hängt es von der Dame des Hauses ab. Jede Hand, die er an die Lippen führt, berührt ihn auf eigentümliche Weise, aber den Ausschlag gibt immer die der Dame des Hauses. Das Abgebissene nimmt er als Andenken mit. Er kann nicht weggehen, ohne etwas abgebissen zu haben. Wenn sich nichts anderes findet, begnügt er sich mit einer Schnalle.

Bis jetzt ist alles gut für ihn gegangen und er ist nie erwischt worden. Störungen kann er nicht leiden, wenn er etwas fahren lassen muß, was er schon zwischen den Zähnen hatte, wird er wütend und verschmäht es. Ein zweites Mal schnappt er nicht danach, es ist jetzt ranzig für ihn geworden. Die Kunst ist, sich von den Damen zu lösen, die ihm gern folgen würden. Aber es ist in seiner Erscheinung etwas, das Respekt gebietet und man tritt ihm nicht zu nahe. Man sinnt ihm bloß nach und ist neugierig auf die Frauen in seinem Leben. Wenn er befriedigt zur Gesellschaft zurückkehrt, hat er's in der Tasche.

Der Vermachte hat immer dort gelebt, wo man ihn gebraucht hat und will auch weiterhin gebraucht bleiben. Es gibt Augenblicke, in denen er nicht weiß, wem er gehört, dann wartet er auf die Eröffnung von Testamenten. Sobald es klar ist, wer ihn bekommen hat, macht er sich unersetzlich. Er kann zum Beispiel rechnen. Er kann Sprachen. Er kann Fahrkarten lösen. Er kann Geld wechseln. Er sagt nie nein, in seinem ganzen Leben – er ist nicht mehr so jung   hat er nie nein gesagt. Es geht ihm gegen die Natur, nein zu sagen, Wünsche errät er, bevor seine Besitzer sie haben. Er ist ein guter Beobachter. Man möchte glauben, er steckt in seinem Besitzer drin und beobachtet ihn von innen. Es kann sein, wer es will, er fühlt keine Unterschiede, er fühlt Wünsche.

Der Vermachte war nie krank, das stünde ihm nicht an. Er ist auch noch nie gefragt worden. Er hat Beine und Hände, aber er sieht nicht aus. Er spricht nie zuhause, nur unterwegs, wenn er etwas besorgt; bringt's stumm zurück, legt es stumm hin, mit Preisen, Stunden, Botschaften oder sonstigen Angaben schriftlich und ist schon wieder verschwunden. Es war noch niemand in seinem Zimmer, vielleicht gibt es eines, aber wenn es eines gibt, ist er kaum je dort, denn er ist auf, bevor jemand in der Besitzerfamilie erwacht und geht später als jeder der Besitzerfamilie schlafen.

Der Vermachte verlangt nie ein Zeugnis und hätte auch keines bekommen. Von Lohn ist nicht die Rede, da er nirgends für sich hingeht, braucht er keinen. Es ist wahr, daß er ißt, doch geschieht das mit Maß und ohne zu stören. Es hat ihn noch niemand mit offenem Mund gesehen, er hat den Takt, das still in einer Ecke zu besorgen. Verstohlen greift er sich an die Zähne und hat noch welche. Er weiß schon, wann er auf Reisen gebraucht wird und löst von selbst auch eine Karte für sich, in der angemessenen Klasse. Die fremden Sprachen übersetzt er fließend, man ist ganz erstaunt, ihn im Ausland sprechen zu hören, der zuhause stumm ist. Es wird viel photographiert auf Reisen und manchmal, wenn er nicht rasch genug beiseitespringt, ist er plötzlich unerwünscht auf dem Bild. Die Besitzerfamilie schaut und macht ein Gesicht. Man kann sich auch bei solchen Gelegenheiten auf ihn verlassen. Er selber trägt die Filme zum Entwickeln fort und wenn er die Bilder zurückbringt, ist er drauf verschwunden. Wie er das macht, ist rätselhaft, er wird nicht gefragt und erklärt es nicht, Hauptsache ist, die Besitzerfamilie bleibt unter sich und der Vermachte erscheint nirgends.

Der Tückenfänger sieht um Ecken herum und läßt sich nicht täuschen. Er weiß, was sich hinter harmlosen Masken versteckt, wie der Blitz fällt ihm ein, was einer von ihm will und bevor die Maske von selber fällt, reißt er sie rasch entschlossen herunter.

Der Tückenfänger kann auch abwarten. Er geht unter Menschen und sieht sie sich an, es hat alles etwas zu bedeuten. Es genügt, daß einer den kleinen Finger krümmt, um zu wissen, was er Entsetzliches vorhat. Jeder hat es auf ihn abgesehen, die Welt wimmelt von Mördern. Wenn einer ihn ansieht, schaut er rasch weg, der soll nicht merken, daß er entlarvt ist. Der soll sich noch ein wenig in seinen Raubgelüsten wiegen und ungestört seine teuflischen Pläne hecken. Eine Weile läßt sich der Tückenfänger nicht ungern für dumm halten. Indessen kocht es in ihm und kocht so heiß, daß er sich in Dampf auflösen könnte. Aber er paßt schon auf, daß das nicht geschieht und schlägt zu, bevor es so weit ist.

Der Tückenfänger sammelt böse Absichten. Er hat Platz dafür und verwahrt sie gut und heißt seine Tasche, die von Tücken voll ist, die Büchse der Pandora. Er tritt leise auf, um Masken nicht vorzeitig zu erschrecken. Muß er etwas sagen, so tönt es sanft, er spricht langsam, als bereite es ihm Schwierigkeiten. Wenn er einen ins Auge faßt, denkt er zur Ablenkung an den anderen. Bei Verabredungen erscheint er zur falschen Zeit, viel zu spät, als hätte er's vergessen. So wiegt er den Feind in Sicherheit, der hat Zeit, sich ein verkehrtes Bild von ihm zu machen. Dann erscheint er, entschuldigt sich demütig und gibt einen haarsträubenden Grund für seine Verspätung an, unterm Tisch reibt sich der Schuft schon die Hände. Dann läßt ihn der Tückenfänger lange sprechen und sagt nichts, nickt öfters mit dem Kopf, als Zeichen seines Einverständnisses, blickt blöde und bewundernd, staunt und lacht und läßt hie und da ein Lob vernehmen. Darauf ist ihm noch jeder hereingefallen. Der Tückenfänger verabschiedet sich, gibt dem Schurken die Hand, drückt sie kräftig, sagt treuherzig: »Ich werd mir's überlegen«, und macht sich auf den Weg nach Hause, um die Tücken, deren keine ihm entgangen ist, nebeneinanderzulegen und in ein System zu bringen.

Für Systeme hat er eine besondere Begabung. Es hat nämlich alles auf der Welt System, nichts ist zufällig, jede Schurkerei hängt mit den anderen zusammen, im Grunde ist es ein und derselbe Schuft, der sich zum Schein in viele verkleidet. Mit seinem scharfen Verstand greift der Tückenfänger hinein, schon hält er einen ganzen Rattenkönig und zieht ihn heraus, hält ihn hoch und bedauert insgeheim den Schöpfer, der es so gescheit gemacht hat, aber doch nicht gescheit genug, um ihn zu täuschen.

Die Schadhafte untersucht sich fort und fort und kommt sich auf immer neue Fehler. Sie mäkelt an ihrer Haut, sperrt sich mit ihr ein und nimmt nie mehr als ein kleines Areal auf einmal vor. Das untersucht sie mit Lupen und Pinzetten, schaut, sticht und probiert's an derselben Stelle ein paarmal wieder. Denn was bei der ersten Untersuchung als intakt erschien, erweist sich bei der nächsten schon als schadhaft. Als sie damit begann, nach einer schweren Enttäuschung, wußte sie nicht, wieviel Mängel sie hatte. Jetzt ist sie davon schon übersät und kennt noch lange nicht alle. Was sie einmal entdeckt hat, merkt sie sich gut und prüft es, wenn es an die Reihe kommt, peinlich wieder.

Die Schadhafte trägt schwer an ihrem Wissen über sich, es wird ja nie etwas besser. Was sie einmal gefunden hat, das ändert sich nie, das bleibt und läßt sich immer finden. Es ist gut, daß noch so viel zu erforschen bleibt, denn wäre sie mit der ganzen Haut zu Ende, sie müßte unter der Last ihrer Kenntnisse zusammenbrechen, es hält sie aufrecht, daß noch so viel zu tun bleibt.

Es ist eine Aufgabe, an der mancher verzweifeln würde. Doch sie tut's gern, denn sie lebt für ihre eigene Wahrheit. Sie spricht zu niemandem davon, wen geht das etwas an und sie möchte vor ihrem Tode damit fertig werden. Wie das mit dem Rücken werden soll, das wagt sie nicht zu denken. Sie läßt das für zuletzt und hofft auf eine Eingebung, die ihr die Untersuchung des Rückens ermöglicht.

Die Schadhafte träumt davon, daß man ihr die Haut abzieht, jedes Fleckchen davon, die ganze, und am Dachboden versteckt für sie aufspannt. Dort wo die Wäsche zum Trocknen hängt, ließe sich die Haut ganz unauffällig unterbringen, wenn es richtig gemacht wird, könnte niemand etwas davon merken. Da wäre dann manches leichter. Die Schwierigkeit mit dem Rücken wäre gelöst und man könnte ruhiger und gerechter vorgehen. Es wäre gleichmäßiger und man hätte nicht immer das Gefühl, daß diese oder jene Partie sich über die Bevorzugung der anderen aufhält.

Die Schadhafte hat alle Frauen im Verdacht, daß sie es heimlich ähnlich treiben. Denn wem, der einmal wirklich hingeschaut hat, gibt die Haut Ruhe? Darum juckt sie ja, das heißt, sie will betrachtet und ernstgenommen werden. Die Schadhafte beneidet niemanden, sie kennt sich aus, auf ein blühendes Gesicht fällt sie nicht herein, an anderen Stellen sieht das ganz anders aus, sie wundert sich, daß Männer sich hereinlegen lassen und ohne genaueste Prüfung, die Jahre und Jahre erfordern müßte, heiraten.

Die Archäokratin tut es nicht unter Jahrtausenden und findet sie sich. Ihre Großmutter, wäre sie wie sie gewesen, hätte sich mit Troja begnügt, aber das ist vorüber. Der Fortschritt wendet sich weiter zurück, sie macht ihn sich zunutze. Die Leute graben und graben und sie weiß wo. Vor ihr bleibt nichts verborgen. Sie trägt das älteste Gold, berühren darf es niemand, für sie war es schon damals bestimmt, als jene uralten Städte zugrundegingen, wußten sie, für wen. Die Wünschelrute, die sie in ihrem Herzen trägt, sagt ihr, wo die Erde bewohnt war.

Sie spottet über die niedrigen Naturen, die sich in Juwelierläden stoßen und den Wert von Kostbarkeiten nach Preisen bestimmen. Käufliches mag für Neureiche gut sein oder sonstiges Gesindel. Die Archäokratin weiß, was sie sich schuldig ist, sie hat jene uralten Kulturen in den Knochen, als Jahre an einem Stein gefeilt wurde und Sklaven aus Ehrfurcht, Können und Geduld zusammengesetzt waren.

Mit Blut täuscht man sie nicht, es ist durch Mischungen verwässert worden, man weiß, wie Menschen zustande kommen, durch elende Zufälle, welcher Stolz ist verläßlich, wer verkauft sich nicht, sie hütet sich davor, ihrer Herkunft nachzugehen, was immer sie fände, sie müßte sich vor Ekel schütteln. Unberührt ist nur, was in der Erde lag, und je mehr Jahrtausende es da lag, um so unberührter ist es. Über die Hohlköpfe, die sich auf Pyramiden verlassen, kann sie nur lächeln. Ihr soll keiner mit einem Pharao kommen, alle Mumien sind falsch, sie will das Eigentliche, von dem man nichts weiß, und der

Augenblick, in dem es zu Tage gefördert wird, dieser Augenblick allein ist der Augenblick der Wahrheit.

Wenige Tage später machen sich die Schwindler darüber her, und wenn die kostbaren Objekte auf Glanz herausgeputzt sind, sind sie wie von heute.

Die Archäokratin duldet niemand um sich und hat keine Familie. Von scharfen, aber gehorsamen Hunden bewacht, lebt sie, wenn sie nicht gerade auf Reisen ist, allein. Aber meist ist sie auf Reisen. Mit ihrem immensen Reichtum, den sie verachtet, fördert sie auf der ganzen Erde Archäologen und muß, wenn etwas passiert ist, an Ort und Stelle sein, um sich ihren Pflichtteil zu sichern, bevor er gemein und öffentlich wird und in die Museen kommt, wo er für immer verschwindet.

Die Pferdedunkle hat wenig gelernt und versteht sich nicht mit Menschen. Es fehlt ihr nicht an Worten, sie liest und schreibt, aber wenn ein Mensch zu ihr redet und eine Antwort erwartet, verschlägt es ihr die Sprache. Schon daß jemand vor ihr steht, der die Augen auf sie richtet, schon daß ein Mund sich vor ihr öffnet und Laute formt, nimmt ihr den Mut, als Zweifüßler zu reagieren, jedes Gegenüber erschreckt sie.

Sie wendet sich dann ab und weicht mit den Blicken aus, sie zittert, ihre Augen füllen sich mit Tränen. Sie schämt sich aller Worte, die andere so leicht sagen. Warum nur tritt niemand vor sie hin und schweigt. Vielleicht könnte sie sich allmählich an die Konfrontation gewöhnen. Vielleicht könnte sie sich auf Worte, die noch nicht gesagt sind, vorbereiten. Aber niemand gönnt ihr die Zeit dazu. Da kommt einer auf sie zugegangen, schon steht er, schon schaut er sie an, schon öffnet er den Mund und spricht. Noch bevor sie es gewagt hat, ihn ins Auge zu fassen, überfallen sie Worte, und wenn es noch leise, ungewöhnliche Worte wären, Worte, wie sie sie insgeheim in sich trägt, – aber immer sind es rohe und gezielte Formeln, die ihr wie harte, kleine Steine aufs Gesicht prasseln und es verletzen.

Die Pferdedunkle rettet sich in den Stall zu Pferden. Da stellt sie sich zu Seiten eines Tieres auf und beruhigt sich an seinen glatten Flanken. Da wird kein Wort gesprochen, Schweife schlagen freundlich hin und her, Ohren spitzen sich, die ihre Gegenwart erkennen, Nüstern beben. Augen wenden sich ihr schweigend zu, sie scheut sich nicht in Augen zu blicken, die niemand kränken.

Die Pferdedunkle ist froh, daß sie selbst kein Pferd ist. Sie will nichts sein, das sie als ihresgleichen empfindet. Nur das Immerfremde ist ihr geheuer. Sie schmeichelt sich nicht ein, sie liebkost nicht, sie hat keine eigenen Laute; so wenig wie sie verstehen möchte, will sie verstanden sein. Die Dunkelheit, in der sie leben muß, findet sie nur unter Pferden. Sie hat es nie mit Tieren versucht, die ihr näher sein wollen. Es wäre ein Irrtum zu glauben, daß sie gern auf Pferden reitet. Aber sie findet ihren Weg in Ställe, die es manchmal noch gibt, findet die Zeit, die sie von Menschen frei sind und bleibt nur, so lange keiner zu erwarten ist.

Die Pferdedunkle krankt an keiner übermäßigen Liebe für sich, doch mit Pferden kann sie allein sein.

Der Papiersäufer liest alle Bücher, es kann sein, was es will, wenn es nur schwer ist. Er gibt sich nicht mit Büchern zufrieden, von denen man spricht; sie sollen rar und vergessen sein, schwer zu finden. Es ist vorgekommen, daß er ein Jahr nach einem Buch gesucht hat, weil niemand es kennt. Hat er es schließlich, so liest er's rasch, kapiert es, merkt sich's und kann immer daraus zitieren. Mit 17 sah er schon aus wie jetzt mit 47. Je mehr er liest, um so mehr bleibt er sich gleich. Jeder Versuch, ihn mit einem Namen zu überraschen, schlägt fehl; auf jedem Gebiet ist er gleich gut beschlagen. Da es immer etwas gibt, was er noch nicht kennt, hat er sich noch nie gelangweilt. Doch hütet er sich zu sagen, was ihm unbekannt ist, damit ihm kein anderer beim Lesen zuvorkommt.

Der Papiersäufer sieht wie ein Kasten aus, der sich nie geöffnet hat, um nichts zu verlieren. Er scheut sich, von seinen sieben Doktoraten zu sprechen und erwähnt nur drei, es wäre ein Leichtes für ihn, jedes Jahr einen neuen Doktor zu erwerben. Er ist freundlich und spricht gern, um sprechen zu können, läßt er auch andere zu Wort kommen. Wenn er sagt: ›Das weiß ich nicht‹, ist ein detaillierter und wissender Vortrag von ihm zu erwarten. Er ist rasch, weil er immer nach neuen Leuten sucht, die ihn anhören. Keinen, der ihn angehört hat, vergißt er, die Welt für ihn besteht aus Büchern und Hörern. Das Schweigen anderer weiß er wohl zu schätzen, er selbst schweigt nur kurz, bevor er zu einem Vortrag ansetzt. Eigentlich will niemand etwas von ihm lernen, weil er auch so viel anderes weiß. Er verbreitet Unglauben, nicht etwa, weil er sich nie wiederholen würde, aber er wiederholt sich nie bei ein und demselben Hörer. Er wäre kurzweilig, wenn es nicht immer etwas anderes wäre. Er ist gerecht gegen sein Wissen, alles zählt, man gäbe viel drum, auf etwas bei ihm zu stoßen, das mehr zählt als etwas anderes. Er entschuldigt sich für die Zeit, in der er wie gewöhnliche Leute schläft.

Man ist voller Erwartung, wenn man ihn nach Jahren wiedersieht, und sehnt sich danach, ihm endlich auf einen Schwindel zu kommen. Aber da kann man sich lange sehnen, – obwohl er von ganz anderen Dingen spricht, ist er auf die Silbe genau derselbe. Manchmal hat er inzwischen geheiratet, manchmal ist er wieder geschieden. Die Frauen verschwinden, es war immer ein Fehler. Er bewundert Leute, die ihn zum Übertreffen reizen und wirft sie, übertroffen, zum alten Eisen. Er war nie in einer Stadt, ohne vorher alles über sie gelesen zu haben. Die Städte passen sich seinem Wissen an; sie bestätigen, was er von ihnen gelesen hat, unlesbare Städte scheint es keine zu geben.

Er lacht von weitem, wenn sich ein Dummkopf nähert. Eine Frau, die ihn heiraten will, muß ihm Briefe schreiben, in denen sie ihn um Auskünfte bittet. Schreibt sie oft genug, so verfällt er ihr und will ihre Fragen immer um sich haben.

Die Versuchte kann nicht auf die Straße gehen, ohne daß sie von Männern verfolgt wird. Sie hat noch keine drei Schritte getan, – schon hat man sie bemerkt und geht ihr nach, manche überqueren um ihretwillen die Straße. Sie hat keine Ahnung, woran es liegt, ist es ihr Gang, aber sie kann an ihrem Gang nichts Besonderes finden. Sie schaut niemanden an, wenn es noch wäre, daß sie Männer mit einem Blick provozierte. Sie ist nicht auffällig gekleidet, sie hat kein besonderes Parfüm, geschmackvoll, das ist sie, geschmackvoll und distinguiert, und ihre Haare, – sind es vielleicht die Haare? Sie hat sich ihre Haare nicht ausgesucht, doch sie trägt sie auf unverkennbare Weise.

Sie wünscht sich nur Ruhe, aber Luft schnappen muß sie schon und es läßt sich die Straße nicht immer vermeiden. Manchmal bleibt sie vor einer Auslage stehen und schon sieht sie einen in der Scheibe, der hinter ihr steht und sie belästigen will und richtig, sie auch anspricht. Sie hört gar nicht hin, das kann sie sich denken, was der sagt, sie antwortet auch nicht gleich, das wäre zu viel Ehre. Aber wenn einer so lästig wird, daß sie ihn gar nicht mehr los wird, dreht sie sich plötzlich zu ihm um und zischt ihm zornig ganz nah ins Gesicht, so nah, daß ihre Haare seine Krawatte streifen: »Was wollen Sie eigentlich von mir? Ich kenne Sie nicht! Belästigen Sie mich nicht! Ich bin nicht so Eine!«

Was erwartet man sich? Warum glaubt man ihr nicht? Sie schaut gar nicht hin, sie weiß nicht einmal, wie diese Männer aussehen. Aber ihre Worte verfehlen ihren Zauber nicht, er wird noch lästiger, vielleicht ist es die

Wirkung ihrer Haare an seiner Krawatte. Sie muß es von so nahe wie möglich sagen, um kein Aufsehen zu erregen. Was würden sich die Leute sonst denken, wenn sie ihre zornigen Worte hören? Er aber führt sich so auf, als wäre sie so Eine und fährt ihr mit der Hand über die Haare. Wären die Leute nicht, er hätte jetzt eine Ohrfeige sitzen. Doch die Versuchte weiß, was sie sich schuldig ist, unterdrückt ihre Wut und rettet sich zur nächsten Auslage. Wenn sie ihn auch jetzt nicht los wird, läßt sie ihn schweigend von Auslage zu Auslage mitgehen, nicht eine Silbe gönnt sie ihm mehr und paßt gut auf, seiner Krawatte nicht wieder zu nahe zu kommen. Schließlich läßt er entmutigt ab. Aber darauf wartet die Versuchte noch, daß ihr einer sagt: »Entschuldigen Sie, ich sehe, Sie sind nicht so Eine.«

Die Versuchte ist eine Frau, sie hält was auf sich, sie kann es sich nicht erlauben, auf Auslagen zu verzichten. Sie hat das Parfüm gewechselt, um Ruhe zu haben, es hilft nichts. Sie färbt sich sogar die Haare anders, alle Farben hat sie schon durchprobiert, aber die wollen nur immer dasselbe von ihr, alle sind immer hinter ihr her, sie braucht einen Ritter, der sie vor diesen Männern schützt, wo findet sie einen?

Die Müde sitzt in ihrem Restaurant und paßt auf. Sie ist nicht mehr jung, gar so alt ist sie auch nicht, aber alt genug, um über zuviel Arbeit zu seufzen. Die Stammkunden, die das Lokal betreten, begrüßt sie. Als die Besitzerin oder Frau des Besitzers, wie man's nimmt, hat sie Anspruch auf eine Frage nach ihrem Befinden. »Wie geht's Ihnen heute?« »Müde«, sagt sie, ob um 12 Uhr mittags oder um 12 Uhr nachts, nicht ohne ihre Müdigkeit zu begründen. Ist es Mittag, so heißt es. »18 Stunden Arbeit gestern«, ist es Mitternacht: »18 Stunden Arbeit heute.« Dieser Satz ist das einzige, was sie nicht müde macht, seit Jahren wiederholt sie ihn hundertmal am Tage. Dazu macht sie ein weinerliches Gesicht, steht auf, um zu zeigen, wie sehr sie am Zusammenbrechen ist, macht zwei Schritte und bricht wirklich zusammen. Sie richtet es so ein, daß sie auf einen gepolsterten Sitz zu fallen kommt, auch beim Zusammenbrechen will sie sich nicht weh tun. Sobald sie gut sitzt, wirft sie flehende Blicke um sich und sagt »müde«.

Aber schon hat ein Kellner etwas falsch gemacht: einen Gast nicht bemerkt, an einer Speise etwas vergessen. Da fährt sie auf und keift in ihrer Sprache laut kreischend los, und keift und keift unermüdlich weiter. Dem Kreuz, das sie auf der Brust trägt, teilt sich ihre Erregung mit, es tanzt böse zu ihren Worten. Alle Sätze enden schrill auf einer höchsten Note. Da es viele Sätze sind, hört jedes Gespräch auf, niemand versteht mehr sein eigenes Wort, die Gäste verstummen. Liebespaare packt die Angst vor ihrer Zukunft und sie sehen sich nicht mehr in die Augen.

Zeternd erhebt sie sich von ihrem Sitz, wankt zur Theke, nimmt einen Teller persönlich in die Hand, wankt durchs Lokal, besinnt sich und trägt ihn zur Theke zurück, wo sie ihn unter schrillsten Tönen absetzt, ohne ihn zu zerbrechen. Niemand wagt es, etwas zu bestellen, wer hätte schon einen Wunsch außer dem, daß sie verstumme. Da können auch neue Gäste kommen, die Müde nickt einen Gruß und zetert unbeirrbar weiter. Sie keift nach dem Rechten, dazu ist sie ja da, das Kreuz an der Brust gibt ihr Kraft, ohne das Kreuz wäre nach drei Sätzen alles zu Ende. Wenn sie schließlich auf ihren Sitz zusammenbricht, sieht sie sich mitleidheischend um und winselt »müde«.

Der Verschlepper geht morgens hinunter zu seiner Post, betrachtet sich seine Briefe von außen und sortiert sie. Die Dringlichen unter ihnen versteckt er so gut, daß sie nie mehr zu finden wären. Mit weniger Dringlichen gibt er sich weniger Mühe. Aber alle werden beiseitegeschafft. Kein Tag beginnt, ohne daß er seine Post erledigt. Ist es alles fort, so atmet er auf und macht sich ans Vergessen. Am sichersten ist es, er legt sich nach Erledigung seiner Post gleich wieder schlafen. Denn wenn er wieder aufwacht, weiß er schon gar nicht mehr, was da war: sonst müßte er ja daran gehen, die Verstecke zu wechseln. Es ist nicht leicht, so Vieles auf einmal zu vergessen.

Der Verschlepper sieht auf die Uhr, um zu wissen, wo er nicht hingehen darf, da man auf ihn wartet. An stillen Orten, die keiner kennt, verbringt er die Zeit, in der man ihn belästigen wollte. Sie vergeht sehr rasch, weil er nicht zu finden ist und sich gern die vorstellt, die nach ihm suchen. Für seine Unauffindbarkeit wird er hoch geachtet. Es wird angenommen, daß er sehr beschäftigt ist und da noch niemand erfahren hat, womit, muß man wohl glauben, daß es sich um besonders Wichtiges handelt.

Der Verschlepper geht Menschen aus dem Weg, die ihn an etwas erinnern. Passiert es ihm doch, so schrumpft er ein und sagt: ›War ich das, wirklich?‹ Er hält sich für frei, weil nichts geschieht, denn alles was geschieht, hat Folgen. Man kennt ihn gut, weil er so verborgen lebt. Die Klingel an seiner Tür funktioniert nicht seit Jahren. Er hütet sich wohl, sie reparieren zu lassen und schaut manchmal heimlich vom Fenster zu, wenn Leute vor seinem Namensschild stehen und vergeblich auf den Knopf drücken. Da können sie lange drücken, er hört sie nicht, je länger er ihnen dabei zuschaut, um so zufriedener ist er. Wenn es dunkel ist, später, stellt er sich selbst vor die Tür und läutet vergeblich zu sich hinauf, um die Situation noch besser zu genießen.

Er weiß, warum er Scheu vor Besuchern hat, die ihm auf die Teppiche treten: unter den Teppichen liegen Tausende von ungeöffneten Briefen. Die Matratzen sind von Briefen so schwer, daß er sie nicht zu heben vermöchte. Auf dem Dachboden hat er kaum noch einen leeren Koffer. Auch auf den Schränken oben fände sich genug zum Lesen. Die Bücherregale meidet er, denn jedes Buch, das er hervorzieht, strotzt von Briefen. Er wirft keinen weg, da er etwas Wichtiges enthalten könnte. Es wäre leichtfertig, einen Brief zu beseitigen, bevor er weiß, was drin steht. Eine Zeit könnte kommen, in der man nach etwas suchen möchte. Es beruhigt ihn zu denken, daß alles da ist. Solange nichts verschwunden ist, ist nichts verloren.

Der Demutsahne schmiegt sich dem Schicksal an, das Unvermeidliche ist seine Wonne. Es ist nutzlos, zum Unvermeidlichen Nein zu sagen, so sagt er schon Ja, bevor es sich meldet. Er geht etwas gebückt und kündet so seine Bereitschaft an, jedes Joch zu tragen. Aber er trachtet, sich nicht zu viel umzusehen, um nicht von Jochen bemerkt zu werden. Denn jedes will auf seine Art getragen sein, wenn es zu viele sind, verlieren sie ihre Eigenart, und nichts ist trauriger als Routine.

Der Demutsahne windet sich von einer Unterwerfung in die andere. Er fühlt, wozu sie gut ist, er kann es mit innigen Worten begründen. Er ist der Überzeugung, daß der Mensch fürs Unvermeidliche da ist: eben das ist es, was ihn von den Tieren unterscheidet. *Sie* wissen nichts, immer sind sie auf der Flucht, als ob sie ihrem Schicksal entrinnen könnten. Schließlich werden sie doch gefressen und haben, die Armen, keine Ahnung davon, daß das sein muß. Der Mensch aber erwartet unaufhörlich sein Schicksal und begrüßt es.

»Willst du denn ewig leben?« sagt er zu seinem Kind, kaum hat es ein wenig sprechen gelernt und bereitet es früh auf Ergebung vor, es soll werden wie er und nicht blind durchs Leben gehen, es soll die Demutsahnen vermehren.

Er weiß, daß früh sich in Unterwerfung übt, was gern sterben will und die Kunst ist es, trotz dieser Einsicht zu leben. Sie besteht darin, diese Kunst, daß man ja nichts tut gegen etwas, was sein muß. »Und wie unterscheidet man, was sein muß, von anderem?« Man wird mit einem

Instinkt dafür geboren, sagt er, und die Weisheit eines Menschen besteht darin, diesen Instinkt nie zu verschütten.

Es ist geraten, nichts von Freiheitskämpfen zu erfahren, von Aufständen, Aufsässigkeiten oder auch nur von Protesten. Aber wenn man von ihnen erfährt, soll man bis zu Ende gehen und auch lernen, wie nutzlos sie waren. Entweder sie mißlingen oder sie mißlingen nicht. Mißlingen sie nicht, so ist doch alles bald wieder beim Alten. Wer alles sieht und hinnimmt, wie es ist und immer war, behält seine Würde. Das Schlechteste ist gut, wenn es nur als Schicksal kommt, denn es ist das Schwerste.

Der Demutsahne übt sich im Ertragen des Schweren. Er kann es so gut, daß ihn manchmal der Mutwille sticht, dann gelingt es ihm, etwas Schweres aufzufangen, bevor es noch recht da ist. Eine Last wird so von der andern verdrängt, auch er hat Sinn für Abwechslung. Mit jeder neuen Last wächst die Hoheit des Menschen.

Der Demutsahne strotzt von Erfahrung. Er verbreitet Ratschläge rechts und links. Es sind immer dieselben.

Die Sultansüchtige leidet unter dem Verschwinden der Harems. Das waren noch Männer, die von Frauen etwas verstanden, die sich mit ewig derselben nicht zufrieden gaben. Die trauten sich etwas zu, die hatten Feuer im Blut, die sperrten sich nicht ab für ihren Beruf, die waren nicht von ihrem Erwerbstrieb ganz besessen. Man sehe sich doch diese Herren an, die müde von ihrem Geschäft in ihre Einehe nach Hause kehren. Diese Gleichgültigkeit! Diese Langeweile! Diese erbärmliche leere Ruhe! Es ist, als ob Frauen gar nichts wären, Köchinnen oder Mütter. Jede Dienerin, jede Pflegerin könnte an ihre Stelle treten. Was Wunder, daß Frauen denaturieren und gar nicht mehr wissen, wozu sie da sind. Manche entblöden sich nicht, in die Arbeit zu gehen und selbst so zu leben wie ihre Männer: Geschäfte zu machen, fühllos und wichtig und kalt zu werden, abends ebenso müde nach Hause zu kommen; so auszusehen wie ein Mann, seine Hosen zu tragen, seine Sprache zu reden und sich damit zufrieden zu geben, daß sie sich gegen Männer draußen statt gegen Frauen zuhause zu behaupten haben.

Die Sultansüchtige, die von Harems träumt, bedauert den Zustand der Türkei, wo abgeschafft ist, was einmal die Größe des Reiches war. Aus ist es mit den Eroberungen, aus mit der Größe, ein Land wie andere, moderner als früher, aber ach so bescheiden! Solange sie Harems hatten, waren die Türken groß, um sie aufzufüllen, mußten sie Kriege führen, ihre Eroberungen galten alle der Lust auf neue Frauen, wie soll man sie für diese herrliche Unersättlichkeit nicht lieben! Die Augen eines Mannes auf sich zu fühlen, auf den mehrere Hauptfrauen und unzählige Kebsinnen warten! Zu wissen, daß er einen vergleicht, mit diesen anderen, ihm als etwas ganz Besonderes Lust zu machen, vor ihm zu bestehen, – ein Sieg! wie seine Siege auf dem Schlachtfeld! Ihn zu halten, ihm etwas zu bieten, das keine andere zu bieten hatte! Mit Gift und Eunuchen für die Erhöhung des Sohns arbeiten, ihn in seinem Entschluß bestärken, seine Brüder und Nebenbuhler alle aus der Welt zu schaffen!

Die Sultansüchtige ekelt sich vor einer Welt, in der es nichts mehr wirklich Weibliches zu tun gibt. Soll man ein Filmstar werden und ebensolche Chancen haben wie ein Mann, der genau dasselbe tut wie man selber? Soll man für ein Publikum tanzen? Soll man singen? Was tun Männer heute nicht? Und bloß, um es ihnen gleichzutun, soll man Frau sein? Das einzige, was eine Frau allein kann, ist einen Prinzen zu gebären, der alle anderen Prinzen umbringt und schließlich, wenn er zu alt ist, auch den Sultan.

Die Sultansüchtige richtet sich einen Harem ein, in den sie sich einsperrt. Da bleibt sie nun immer, den verläßt sie nicht. Da kleidet sie sich durchsichtig, wie es der Örtlichkeit ziemt und übt sich, nur für ihn, in intimen Tänzen. Da wartet sie auf den Sultan, der nie kommt und stellt sich vor, daß er auf dem Wege zu ihr ist. Da fände er alles, was er gewöhnt ist und wie es ihm gebührt, da fände er's besser. Da wirft sie sich inbrünstig zu seinen Füßen hin und bittet ihn um seine verruchtesten Wünsche.

Die Verblümte zeigt ungern etwas von sich her und schämt sich für alles, auch für Worte. Sie hilft sich, indem sie immer etwas anderes sagt, als sie meint und alle direkten Worte vermeidet. Sie spricht in Konditionalsätzen, im Konjunktiv, vor jedem Substantiv hält sie inne und macht eine Pause. Es wäre ihr wohler auf der Welt, wenn es keine Körper gäbe. Den eigenen behandelt sie, als wäre er nicht vorhanden. Nur wenn es ihn zu verdecken gilt, nimmt sie von ihm Notiz, doch sie versteht es auch dann, mit ihm nicht in Berührung zu kommen. Es hat noch nie jemand von ihr den Namen eines Körperteils vernommen. Ihre Kunst der Umschreibung ist hochentwickelt, es hat Perioden der Literatur gegeben, in denen sie sich wohl gefühlt hätte, aber heute zu leben ist ein schweres Kreuz. Denn alle reizen sie, alle stoßen sie vor den Kopf, kaum schaut man irgendwo weg, ist auch dort wieder etwas, man müßte in kleinen Rucken unaufhörlich wegschauen.

Die Verblümte sagt flehend ›bitte‹, bevor sie zu jemandem spricht und meint damit, daß der andere sich ihrer Sprache befleißigen soll, ähnlich antworten, alles vermeiden, was bei ihr Anstoß erregt, sie nicht quälen soll, denn es quält sie sehr, es beginnt schon damit, daß die Leute einem die Hand geben möchten: so sagt sie inständig ›bitte‹ und hält mit der Hand zurück; selbst im Handschuh, den sie nie ausziehen würde, spürt sie doch einen Druck und es ist aus mit ihrer Ruhe, denn zum Körper des andern dazu ist plötzlich auch ihr eigener da, sie möchte vor Scham in den Boden versinken.

›Bitte!‹ sagt sie, dann kommt einer von den Sätzen, die sie nur versteht und das Schrecklichste ist, sie muß ihn wiederholen. Sie wird angestarrt, als spräche sie in einer ganz fremden Sprache, dann weiß sie nicht, was schwerer zu ertragen ist, starrende Augen oder offene Worte.

Die Verblümte muß einkaufen gehn, denn sie lebt allein. Ihre Bedürfnisse sind auf ein Minimum eingeschrumpft, sie weiß von Dingen, die sie auf keinen Fall einkaufen könnte, da sie entsetzliche Namen tragen. Hungern tut sie schon, aber sie darf nicht krank werden, denn es gibt Teufel auf der Welt, die Ärzte heißen und einen unverblümt fragen, wo es weh tut.

Der Gottprotz muß sich nie fragen, was richtig ist, er schlägt es nach im Buch der Bücher. Da findet er alles, was er braucht. Da hat er eine Rückenstütze. Da lehnt er sich beflissen und kräftig an. Was immer er unternehmen will, Gott unterschreibt es.

Er findet die Sätze, die er braucht, er fände sie im Schlafe. Um Widersprüche braucht er sich nicht zu bekümmern, sie kommen ihm zustatten. Er überschlägt, was ihm nicht von Nutzen ist und bleibt an einem unbestreitbaren Satze hängen. Den nimmt er für ewige Zeiten in sich auf, bis er mit seiner Hilfe erreicht hat, was er wollte. Doch dann wenn das Leben weitergeht, findet er einen anderen.

Der Gottprotz traut der Vorvergangenheit und holt sie zu Hilfe. Die Finessen der Neuzeit sind überflüssig, man kommt viel besser ohne sie aus, sie machen nur alles komplizierter. Der Mensch will eine klare Antwort wissen, und eine, die sich gleichbleibt. Eine schwankende Antwort ist nicht zu gebrauchen. Für verschiedene Fragen gibt es verschiedene Sätze. Es soll ihm einer eine Frage sagen, auf die er keine passende Antwort fände.

Der Gottprotz führt ein geregeltes Leben und verliert keine Zeit. Wenn die Welt um ihn einstürzt, er hat keine Zweifel. Der sie eingerichtet hat, wird sie im allerletzten Augenblick vor dem Untergang erretten; und wenn sie sich nicht erretten läßt, wird er sie nach der Zerstörung wiederaufbauen, damit sein Wort bestehen bleibt und recht behält. Die meisten gehen zugrunde, weil sie auf sein Wort nicht hören. Die aber auf sein Wort hören, gehen nicht wirklich zugrunde. Aus jeder Gefahr ist der Gottprotz noch errettet worden. Um ihn sind Tausende gefallen. Aber er ist da, ihm ist nie etwas geschehen, soll das nichts zu bedeuten haben?

Der Gottprotz in seiner Demut hält sich nichts darauf zugute. Er kennt die Dummheit der Menschen und bedauert sie, sie könnten es soviel leichter haben. Doch sie wollen nicht. Sie meinen in Freiheit zu leben und ahnen nicht, wie sehr sie sich selbst versklavt sind.

Wenn der Gottprotz zornig wird, bedroht er sie, nicht mit seinen Worten. Es gibt bessere Worte, die Menschen zu peitschen. Dann stellt er sich mit geblähtem Stimmsack auf, als stünde er persönlich am Sinai oben und donnert und droht und speit und blitzt und erschüttert das Gesindel zu Tränen. Warum haben sie wieder nicht auf ihn gehört, wann werden sie endlich auf ihn hören?

Der Gottprotz ist ein schöner Mann, mit Stimme und Mähne.

Die Granitpflegerin gibt nichts auf Ausreden. Auch Mörder suchen sich herauszureden und reden so lange, bis die Leute vergessen, daß ein Ermordeter da ist. Wenn der reden könnte, sähe die Sache anders aus. Nicht daß sie für Ermordete Mitleid hat, denn wie ist es möglich, daß ein Mensch sich ermorden läßt. Aber es ist doch wieder gut, daß es Ermordete gibt, damit die Mörder bestraft werden.

Die Granitpflegerin sagt ihren Kindern als Nachtgebet vor: ›Jeder ist sich selbst der Nächste!‹ Wenn sie streiten, spornt sie sie an, bis sie die Sache untereinander mit Gewalt austragen. Am liebsten sieht sie's, wenn sie boxen; für harmlosen Sport hat sie wenig übrig. Gewiß, sie hat nichts dagegen, wenn die Buben schwimmen. Aber wichtiger ist es, sie lernen boxen.

Sie sollen reich werden und wissen, wie sie zur Million kommen. Nur kein Mitleid mit den Dummen, die sich betrügen lassen. Es gibt zwei Sorten von Menschen: Betrogene und Betrüger, Schwache und Starke. Die Starken sind wie Granit, aus denen kriegt keiner etwas heraus, da kann man lange pressen. Das Beste ist, nie etwas hergeben. Die Granitpflegerin wäre reich geworden, aber da waren die Kinder. Jetzt sollen es die Kinder werden. Arbeit macht dumm, sagt sie ihnen täglich. Wer Verstand hat, läßt andere für sich arbeiten. Die Granitpflegerin schläft gut, weil sie weiß, daß sie nichts hergibt.

Ihre Türe bleibt geschlossen. Ihr kommt kein Mann über die Schwelle. Die hängen einem Kinder an und vergessen dann zu zahlen. Tüchtig sind sie auch nicht, sonst würden sie's nicht immer wieder probieren. Wenn einer käme, der es wirklich zu etwas gebracht hat, den würde sie schon erkennen. Aber so einer hat keine Zeit und kommt drum nicht. Die Tagediebe, die möchten kommen.

Die Granitpflegerin hat nie geweint. Als ihr Mann unter die Räder kam, hat sie's ihm sehr übel genommen. Sie grollt ihm seit acht Jahren dafür und wenn die Kinder nach ihm fragen, sagt sie: ›Der Vater war dumm. So ein Dummkopf kommt unter die Räder.‹ Die Granitpflegerin betrachtet sich nicht als Witwe. Ihr Mann, der so dumm war, zählt für sie nicht, drum ist sie auch keine Witwe. Überhaupt sind Männer zu gar nichts nutz. Sie haben Mitleid und lassen sich übers Ohr hauen. Sie gibt nichts her, ihr nimmt keiner etwas weg, von ihr könnten Männer etwas lernen.

Die Granitpflegerin mag nichts lesen, doch hat sie harte Sprüche. Wenn ihr etwas Hartes gesagt wird, das hört sie gleich und legt es unter die harten Sprüche.

Der Größenforscher vergleicht und mißt, er hat seine eigenen Maßstäbe. Sie wechseln je nach Zeit und Gelegenheit, es gibt Größen, die sich gern erforschen lassen und andere, die sich sträuben. Er hat gewisse, unvergleichliche Fragen, er hat auch kleine Peitschen. Viel hängt von Geburtsorten ab, es gibt welche, die für Größen nicht in Betracht kommen, das liegt vielleicht am Wasser. Das sind die, die immer verlassen werden, andere wieder sind am Überlaufen, weil ihre hohe Wachstumsrate bekannt ist. Der Größenforscher ist unbestechlich und hat objektive Kriterien. Er zieht ein Lineal aus der Tasche, einen Kompaß, eine Waage, einen Sextanten, er versteht sich auf alles, macht es im Nu, rechnet und schätzt, addiert, subtrahiert und alle, die an seine Maßstäbe nicht heranreichen, wirft er verächtlich beiseite.

Leicht macht sich's der Größenforscher nicht, er plagt sich redlich. Doch hat er auch übermütige Momente. Dann haut er sein ganzes Handwerkszeug um die Erde, wirft beide Arme in die Höhe und ruft ›Genie!‹ Da gibt es überhaupt nichts mehr zu sagen. Es geht ein Gerücht, daß er gar nicht so gern mißt und das alles nur treibt, um unerwartet und unwiderruflich mit einem Genie herauszuplatzen. Da hören sich alle Erklärungen auf, da nützt auch der beste Geburtsort nichts und da kann auch der schlechteste nichts vereiteln. Der Größenforscher achtet darauf, daß die Zahl der Genies nicht zu groß wird. Auch gibt's das nur ganz, und es ist völlig verfehlt, mit Viertel- und Achtelgenies zu kommen. Da hören sich alle ordinären Rechnungsarten auf, vielleicht käme man mit Integralrechnung weiter, aber auch das ist fraglich. Hauptsache ist, daß die Zahl der Genies in jedem Jahrhundert begrenzt wird.

Es ist also geraten, keines hervorzuziehen ohne zwingende Gründe. Manche halten sich lange versteckt, nicht jedem ist die Witterung für sie gegeben. Manche stecken tief unter der Erde. Nur der Größenforscher selbst ist im Besitz seiner Wünschelrute und es mag ein Leben dazu gehören, um ein Dutzend Genies aus der Vergangenheit, in der sie sich gern verkrochen halten, hervorzuzaubern. Der Größenforscher hätte persönlich das Zeug zum Genie, doch hat er sich früh zu seinem härteren Dienst entschlossen. Er verkörpert das Sittengesetz, er ist hochmoralisch und weil Diebstahl gleich hinter Mord rangiert und Genies alle ungeniert wie die Raben stehlen, verzichtet er darauf, selbst eines zu sein und begnügt sich damit, ihre Unergründlichkeit zu ergründen.

Der Größenforscher gelangt zu Amt und Würden, niemand hat es so sehr wie er verdient, denn ohne ihn wäre es mit der Menschheit aus, niemand wüßte, wo ein Genie sich verkrochen hat, niemand wüßte, wie man es hervorzieht, abputzt und staubt, von den moralischen Schlacken befreit, die ihm anhaften, niemand wüßte, wie man es ausruft, wieviel Licht es braucht, womit man es füttert, wie es gelüftet wird und wie oft, von welchen Feinden man es fernhält, damit es nicht platzt, und niemand wüßte, wann es wieder Zeit ist, ihm den Mund zu stopfen.

Die Sternklare meidet das rohe Licht der Sonne. Es ist
indiskret, es ist taktlos, es ist schmerzlich hell, vieles ist in
einem, das seinen Augenblick abwarten möchte, aber es
wird ohne Rücksicht hervorgezerrt, ausgebreitet, be-
lichtet und erhitzt, bis es nicht mehr zu erkennen ist,
wo war es dann eigentlich, – in diesem, in jenem, in
allen?

Die Sternklare hält sich an Kristalle, die nicht zu öffnen
sind. Selbst die Durchsichtigen unter ihnen sind ihrer
Härte gewiß und was man sehen mag, soll man drum
nicht haben. Die Sternklare wünscht sich das Verschlos-
sene, auf das schwaches und geprüftes Licht fällt. Wohl
hat es von den Sternen den Weg zu ihr gefunden, aber es
wußte nichts von ihr, bevor es sie fand und sie hat lange
in ihrer Verborgenheit gelauscht, bis es kam und war
selber unsicher und dunkel.

Nur einmal in ihrem Leben hat sie in ein Fernrohr
gesehen, wie mußte sie sich dafür schämen! Es kam ihr
vor, als stürze sie sich schamlos einem Stern entgegen
und zwinge ihn, ihr stärker zu leuchten, als er selber
wollte. Sie hat es nicht vergessen, wie einsam er plötzlich
war, von den andern getrennt, die ihm seine Stille und
sein Gleichgewicht gaben. Sie hatte ihn sich aus dem
ganzen Himmel herausgepflückt, ihr Auge, das sonst
langsam und leise war, glotzte ihn an, wie bei Tag die
Sonne auf sie glotzte, sie fürchtete, er sei nun zerstört
und dem Himmel verloren. Sie riß sich los, sie fluchte
dem Instrument, sie büßte auf ihre Weise während
Wochen, indem sie dem vermaledeiten Stern mit ihren
Blicken auswich. Als sie ihn dann wieder zu suchen

wagte und ihn fand, war sie so glücklich, daß sie das Fernrohr ihrer Schande kaufte, zerbrach und Teile und Splitter in der Nacht verstreute.

Die Sternklare atmet auf, wenn die Sonne fort ist und wünscht sich, sie käme nie wieder. Ihre Tage verbringt sie an dunklen Orten. Sie arbeitet bloß, damit die Tage vergehen. Ihre Haut ist rein wie das Licht der Sonne. Doch sie weiß es nicht, denn sie sieht sich nicht. Sie hat noch nie einen Gedanken an sich verloren. Ihr einziger Spiegel ist die erhellte Nacht, und er besteht aus so vielen Punkten, daß sie keine Einheit hat. Wo beginnt sie? Wo hört sie auf? Kann man so klar sein, ohne sich gesehen zu haben?

Die Sternklare hat Gedanken, sie behält sie für sich, sie fürchtet sie zu verlieren, sobald sie sie ausspricht. Aber sie erstarren nicht in ihr, sie wachsen und nehmen ab und wenn sie wieder so klein geworden sind, daß sie ihr entschwinden, erwachen sie in anderen.

Der Heroszupfer macht sich an Denkmälern zu schaffen und zupft Heroen an den Hosen. Die mögen aus Stein oder aus Bronze sein, in seinen Händen werden sie lebendig. Manche erheben sich mitten im Verkehr, da läßt man es besser bleiben. Doch solche in Parks kommen wie gerufen. Er schleicht um sie herum oder er lauert in Büschen. Wenn der letzte Besucher sich verlaufen hat, springt er hervor, schwingt sich geschickt auf den Sockel hinauf und stellt sich neben den Heros. Da steht er ein wenig und faßt sich ein Herz. Er ist voller Respekt und greift nicht gleich hin. Er überlegt auch, wo es am günstigsten wäre. Es genügt nicht, die Hand auf eine Rundung zu legen, er muß etwas zwischen den Fingern halten, sonst kann er nicht zupfen: er braucht Falten. Wenn er so eine hat, läßt er lange nicht los, es ist ihm, als hätte er sie zwischen den Zähnen. Er fühlt, wie die Größe auf ihn übergeht und erschauert. Jetzt weiß er, was er eigentlich ist und wozu er imstande wäre. Jetzt nimmt er sich alles wieder vor, jetzt zupft er ganz fest, jetzt glüht er vor Kraft, morgen beginnt er.

Der Heroszupfer klettert nicht höher hinauf, das wäre ungehörig. Er könnte sich auf die steinerne Schulter schwingen und dem Heros etwas ins Ohr flüstern. Er könnte ihn am Ohr ziehen und ihm verschiedenes vorwerfen. Das wäre der Gipfel der Verruchtheit. Er begnügt sich mit dem bescheidenen Platz, der ihm gebührt. Noch hält er sich an Hosenfalten. Aber wenn er fleißig ist, keine Nacht versäumt und immer kräftiger zupft, kommt einmal der Tag, der hellichte Tag, da er sich mit einem mächtigen Ruck hinaufschwingt und dem Heros höhnisch vor aller Welt auf den Kopf spuckt.

Der Maestroso, wenn er sich überhaupt fortbewegt, schreitet auf Säulen. Die haben's nicht eilig, aber sie tragen ihn gut, da gibt es einiges zu tragen. Wo sich die Säulen niederlassen, bildet sich ein Tempel und die Anbeter sind im Nu zur Stelle. Er erhebt den Stock und alles verstummt, er erfüllt die Luft mit abgemessenen Zeichen. Die Anbeter schweigen, die Anbeter meditieren, die Anbeter rätseln seinen Zeichen nach.

In den Pausen seiner Erhabenheit nährt sich der Maestroso von Kaviar. Es ist wenig Zeit, er wird sich gleich wieder aufstellen. Aber er tut nichts allein, viele umringen ihn und schauen auf den Kaviar, der ihm nur zukommt. Der Maestroso rülpst melodisch.

Der Maestroso reist gravitatisch um die Welt, alle Steine werden ihm aus dem Weg geräumt, Steine, Gebirge und Meere. Da sitzt er in seinem Sonderabteil für sich, entblößten Hauptes stehen die Adepten auf dem Gang, während er seine Partitur vor sich liegen hat, mit wuchtigem Strich markiert, was nur er markieren darf und die anderen draußen bei jedem seiner Striche erschauern. Der Zug bleibt stehen, wenn er sich erhebt und fährt nicht weiter, bevor er sich setzt, der Zug hält nirgends, wo er es nicht wünscht und hält ihm zuliebe auf freiem Felde.

Der Maestroso läßt in jedem Tempel eine Frau zurück, die seiner harrt wie in alten Zeiten. Da sitzt sie und sitzt sie und gehört ganz ihm, mit Kind und Haut und Haaren, und wenn er auf seinen Säulen wiederkommt, es müssen nicht Jahre vergangen sein, erschauert sie und steht betend unter den anderen. Er sieht sie, aber es ist nicht die Zeit, sie zu erkennen, wer eine Ewigkeit gewartet hat, kann sich noch gedulden. Aber dann, aber dann nickt er ihr zu, ihr unter allen hat er zugenickt, sie wäre bereit, sich für dieses Nicken verbrennen zu lassen.

Der Maestroso weiß, daß er alt werden wird, er kennt die Zahl seiner Jahre. Wenn er mit seiner Darbietung besonders zufrieden war, veranstaltet er ein Fest, bei dem auch die anderen sitzen und trinken dürfen, doch er trinkt nie dasselbe. Dann lächelt er, – er hat noch nie gelacht –, und läßt jeden aus der Runde einzeln zu sich kommen. »Zeig deine Hand!« befiehlt er und besieht sich kundig die Linien. Er sagt ihm, wie jung er sterben müsse, er winkt dem nächsten.

Die Geworfene erwacht nie im selben Bett und reibt sich die Augen. Wo ist sie? Da war sie noch nie! Wie kommt sie daher? Wer hat sie hergeworfen? Sie staunt, aber nicht lang, denn sie hat etwas mit sich vor und mag nicht die kostbare Zeit mit Rätsellösen verlieren. Sie erwacht, sie räkelt sich, sie richtet sich her, sie weiß noch nicht, wer es sein wird, der sich heute ihrer annimmt.

Man kann nicht sagen, daß sie auf die Suche geht, aber sie muß gefunden werden. Sie hat ihre Orte, wo sie geduldet wird und es dauert nicht lange, immer kommt ein ganz besonderer Mensch auf sie zu, der gut aussieht und etwas Wichtiges tut, mit einem besonderen Schnitt, sei es des Anzugs, sei es der Haare, der sie schon längst bemerkt hat, denn sie bemerkt niemand zuerst, sie bemerkt nur Männer, die entschlossen schon auf sie zugehen. Noch vor dem ersten Satz, – es genügt ein Blick, eine bestimmte Neigung des ungewöhnlichen Kopfs, ein überlegenes Lächeln, unterm Schnurrbart halb verborgen, eine kaum erhobene Hand, ein edler Zeigefinger, ein Mund, der daran ist, sich in Bewunderung zu öffnen, – noch vor dem ersten Satz fühlt sie sich geworfen und aufgefangen und getragen und wiedergeworfen und fühlt, wie Treue sich durch ihren Körper verbreitet, sie sieht niemand außer ihn, heute sieht sie niemand sonst, eher ließe sie sich in Stücke reißen, als von einem anderen auch nur Notiz zu nehmen, und wenn das Schicksal es will, daß einmal zwei gut Aussehende, die beide etwas Wichtiges tun, beide mit einem besonderen Schnitt, sei es des Anzugs, sei es der Haare, sich ihr gleichzeitig nähern, so fühlt sie sich von beiden geworfen, ist beiden treu und wird keinen zugunsten des anderen benachteiligen.

Das sind, wenn man so will, verlorene Abende, denn beide halten durch, keiner gibt nach, sie sorgt schon dafür, daß keiner nachgibt; zum Augenblick, da sie sich vergißt und nicht mehr weiß, wo sie ist, zur eigentlichen Geworfenheit kommt es nicht und sie hält sich, um keinen zu verlieren, die ganze Nacht in Gesprächen an beide. Von Schlaf ist dann so wenig wie von Geworfenheit die Rede, wo immer sie sich befindet, – sie weiß, wo sie ist, schad ist es schon, denn beide sind sie wert, aber so ist sie eben und Treue, Treue ist ihr Charakter.

Der Mannstolle ist nicht etwa auf Männer aus, wie man nach seinem Namen denken könnte, aber um so mehr auf die Eigenschaften des Mannes. Diese sucht er, diese eignet er sich an, diesen gehört er. Es gibt keine Kühnheit, es gibt keine Kraft, die er nicht erspäht, erjagt und hinunterschlingt. Solche, die unterliegen, bemerkt er nicht, für ihn besteht die Welt aus Siegern.

Der Mannstolle hat seiner Mutter schwer zu schaffen gemacht, als er aus ihrem Leib hinauswollte. Er war noch keine vier Monate alt, als er von innen kratzte und klopfte. Wütend über seine Gefangenschaft stieß er sie hin und her, die Arme wußte nicht mehr, wie ihr geschah, sie schlief nicht, sie saß nicht, sie torkelte umher, er gab ihr keinen Augenblick Ruhe. Als er dann endlich viel zu früh erschien, biß er sie, bevor er Zähne hatte.

Der Mannstolle als Kind prügelte rechts und links, er schlug auf jeden los, der etwas von ihm wollte. Mit 14 verschwand er und wurde nicht mehr gesehen. Wo konnte er schon sein? Besorgt war die Mutter nicht, der macht seinen Weg, so sicher, wie er sie ohne Zähne gebissen hatte.

So war er überm Teich. Er verstand sich darauf, allein zu sein und mit niemand zu teilen. Leute, denen es gut ging, zogen ihn an, Leute, denen es schlecht ging, übersah er. Beim ersten Boxkampf, bei dem er war, erfuhr er, was er brauchte. Er schrie für den Sieger, bis er heiser war. Aber der Unterlegene stand auf und war nicht erschlagen. Als er sah, daß er nicht tot war und davonwanken durfte, packte ihn der Ekel. Damit war es nichts. Aber etwas Besseres gab es: Waffen. Schüsse töten, Schüsse sind ernst, er schloß Waffen ins Herz, verschaffte sich welche, handelte damit und handelte immer sicherer und frecher.

Der Mannstolle wurde jung Millionär. Noch gab es Kriege da und dort und Männer, die kämpften. Er sah sich die Kriege selber an, wo die Aussichten gut waren, rüstete er Söldner aus, er war großzügig und gewährte Kredite. Auf seiner Landkarte leuchteten Punkte auf, wo immer es losging. Dann stürzte er sich in sein Flugzeug und kam rechtzeitig an, er begab sich in Gefahr, schloß Verträge ab und fuhr in den nächsten Krieg weiter. Jeden Söldnerführer der Welt kannte er persönlich. Gesinnungen ging er aus dem Weg, das war etwas für Schwächlinge. Wem es drum zu tun war loszuschlagen, und sonst um nichts, der konnte auf ihn zählen.

Der Mannstolle ist überzeugt davon, daß nichts sich ändert. Solange es Männer gibt, die ihren Namen verdienen, werden sie aufeinander losschlagen. Das weiß man doch, daß es zuviel Menschen gibt, und Männer sind dazu da, die überflüssigen zu beseitigen.

Der Leidverweser hat einiges gesehen und alles Leid der Welt nicht ohne Grund für sich gepachtet. Wo immer etwas Entsetzensvolles geschah, er war dabei, er ist hineingeraten. Andere reden davon und bedauern es, er hat es am eigenen Leib erfahren. Er redet nicht, aber er weiß es besser. Ergreifend seine Art vor sich hinzusehen, wenn eine seiner Katastrophen genannt wird.

Es begann, als die ›Titanic‹ auf den Eisberg stieß. Er sprang über Bord, er schwamm 16 Stunden im Wasser. Keinen Augenblick verlor er das Bewußtsein, er sah einen nach dem anderen im Wasser verschwinden und wurde als Allerletzter gerettet.

Der Leidverweser hat sechsmal sein Vermögen verloren. Er kennt Armut und Hunger; und da es ihm an der Wiege nicht gesungen war, empfand er sie in ihrer vollen Schwere. Durch eisernen Fleiß hat er sich wieder hinaufgearbeitet. Kaum war er oben, verlor er alles wieder.

Der Leidverweser war mehrmals glücklich verheiratet und müßte jetzt Enkel und Urenkel haben. Alle seine Angehörigen ausnahmslos sind ihm durch tödliche Krankheiten entrissen worden. Er hat sich daran gewöhnen müssen. Seine erste Frau, die ihm die teuerste war, ist in die medizinischen Annalen eingegangen: als der letzte Fall von Pest in Europa. Auch von der Lepra, die niemand mehr hierzulande für möglich hält, weiß er ein Lied zu singen. Vor seinen Augen ist es geschehen, daß zwei seiner Töchter und ein halber Sohn daran zugrunde gingen. Er ist auch darüber nicht zum Seufzerkoch geworden, er hat es männlich getragen. Man begreift aber, daß ihm wenig Eindruck macht, was andere zu leiden haben. Er klagt über nichts, er nimmt es auf sich, er schweigt und lächelt. Wenn andere auspacken, hört er zwar zu, aber man erwarte nicht von ihm, daß sein Herz sich denen öffnet, die ihr Leben mit einem einzigen Leid bestreiten.

Der Leidverweser hat eine milde Art, Widersprüche in den Unglücksgeschichten anderer zu bemerken. Er frägt sie nicht aus, er hört weiter zu, aber plötzlich berichtigt er ein Datum. Es ist schon vermessen, wenn einer sich zu berichten getraut, was der Leidverweser von Anfang zu Ende selbst erlebt hat. Ein leichter Zug von Sarkasmus spielt dann um seine Lippen. Nicht das Geringste ist seinen Worten anzumerken, wenn er sein Beileid äußert. Es ist nicht eigentlich förmlich, es ist von seiner tieferen Kenntnis geprägt, aber was er dabei denkt, das mag man erraten. Er kennt sie gut, diese Räuber, die ihm jede seiner Leiderfahrungen entwenden möchten.

Aber kürzlich ist ihm die Geduld gerissen. Der Name Pompeji fiel und ein Dieb von ungewöhnlichem Format wollte ihm von den Ereignissen damals berichten: ihm, der an diesem einzigen Tag in Pompeji war und als einziger sich zu retten vermochte! Dem ist er schneidend über den Mund gefahren. Das hat er sich doch verbeten. Er ist aufgestanden und von den Erinnerungen an jenen Tag übermannt, in sichtlicher Erregung, doch nicht ohne Würde, hat er die Gesellschaft verlassen. Es hat ihm wohlgetan, noch bis zur Tür das ehrfurchtsvolle Verstummen der anderen entgegenzunehmen.

Die Erfundene hat nie gelebt, doch sie ist da und macht sich bemerkbar. Sie ist sehr schön, doch für jeden anders. Es werden ekstatische Schilderungen von ihr gegeben. Manche heben die Haare hervor, andere die Augen. Doch herrschen Widersprüche über die Farbe, von strahlendem Goldblau bis zu tiefstem Schwarz, das gilt auch für die Haare.

Die Erfundene ist von mancherlei Größe und hat jedes Gewicht. Verheißungsvoll die Zähne, die sie wieder und wieder entblößt. Bald schrumpft, bald schwillt ihr der Busen. Sie schreitet, sie liegt. Sie ist nackt, sie ist wunderbar angezogen. Über ihr Schuhwerk allein sind hundert verschiedene Angaben gesammelt worden.

Die Erfundene ist unerreichbar, die Erfundene gibt sich leicht. Sie verheißt mehr, als sie hält und hält mehr, als sie verheißt. Sie flattert, sie verweilt. Sie spricht nicht, was sie sagt, ist unvergeßlich. Sie ist wählerisch, sie wendet sich jedem zu. Sie ist schwer wie die Erde, sie ist leicht wie ein Hauch.

Ob die Erfundene sich ihrer Bedeutung bewußt ist, scheint fraglich. Auch darüber liegen sich ihre Anbeter in den Haaren. Wie macht sie es nur, daß jeder weiß: sie ist's? Gewiß, die Erfundene hat es leicht, aber ob sie es von Anfang an so leicht hatte? Und wer hat sie bis zur Unvergeßlichkeit erfunden? Und wer über die bewohnte Erde verbreitet? Und wer vergöttlicht und wer verschachert? Und wer hat sie über die Wüsten des Mondes verstreut, bevor eine Flagge auf ihm erschien?

Und wer einen Planeten in dichte Wolken gehüllt, weil er nach ihr benannt ist?

Die Erfundene öffnet die Augen und schließt sie nie wieder. In Kriegen gehören ihr Sterbende auf beiden Seiten. Vor Zeiten sind Kriege um sie entbrannt, heute nicht, heute besucht sie Männer in Kriegen und hinterläßt ihnen lächelnd ein Bild.

Den Nimmermuß zwingt keiner, es soll ihm einer kommen. Er hört nicht auf rechts, er hört nicht auf links, hört er vielleicht überhaupt nicht? Er versteht sehr wohl, was man von ihm will, doch schüttelt er schon, bevor er's versteht, Kopf und Schultern. Statt des Rückgrats hat er ein kräftiges Nein, verläßlicher als Knochen.

Der Nimmermuß spuckt aus, Befehle schwirren in der Luft herum und obwohl man sie meidet wie die Pest, irgend etwas davon bleibt doch in einem stecken. Er hat ein eigenes Taschentuch dafür und bevor es vollgespuckt ist, verbrennt er's.

Der Nimmermuß geht an keinen Schalter. Diese Gittergesichter bereiten ihm Übelkeit, man kennt sie nicht auseinander. Da geht er lieber gleich zu Automaten, holt sich von ihnen, was er braucht, und erspart sich den Ekel. Auch wird er von ihnen nicht angeschnauzt und muß nicht betteln und beteuern. Da wirft er die Münze ein, wann's ihm paßt, preßt den Knopf, bekommt, was er will, und was er nicht will, übersieht er.

Der Nimmermuß verabscheut Knöpfe an sich, alles macht er sich locker zurecht und trägt keine Hosen. Krawatten sind Teufelszeug für ihn, gut genug zum Erwürgen. »Ich häng mich nicht auf«, sagt er, wenn er einen Gürtel sieht und wundert sich über die Ahnungslosigkeit seines Trägers.

Der Nimmermuß bewegt sich in Rösselsprüngen und hat keine Adresse. Er vergißt, wo er ist, um es nicht sagen zu können. Wird er angehalten und nach einer

Straße gefragt, so sagt er: »Ich bin fremd hier.« Die Kunst ist, daß er nicht nur hier, die Kunst ist, daß er überall fremd ist. Es ist vorgekommen, daß er ein Haus verließ und nicht wußte, daß er die Nacht darin geschlafen hatte. Ein Rösselsprung genügt und er ist abseits, alles heißt anders und sieht anders aus, statt sich zu verstecken, entspringt er.

Der Nimmermuß spricht nur, wenn es unbedingt sein muß. Worte üben einen Druck aus, die der andern wie die eigenen. Dieser Zustand nach einem Gespräch, wenn man allein ist und alle Worte sich wiedersagen! Sie hören nicht auf, man wird sie nicht los, sie pressen und pressen, man schnappt nach Luft, wohin sich vor den Worten retten! Es gibt welche darunter, die sich mit arger, mit teuflischer Hartnäckigkeit wiederholen, während andere allmählich nachlassen und versickern. Dieser Bedrängnis kann man nur mit Vorbedacht entkommen: man sagt die Worte gar nicht, man läßt sie schlafen.

Der Nimmermuß hat endlich seinen Namen abgelegt und läßt sich nicht nennen. Auf seinem Schachbrett springt er listig und leicht davon und niemand kann ihn rufen.

René Schickele

René Schickele, geboren am 4. August 1883 in Ober-
heim im Elsaß, gestorben am 31. Januar 1940 in Vence
bei Nizza, war Sohn eines deutschen Weingutbesitzers
und einer Französin. Nach dem Studium in Straßburg,
München, Paris und Berlin und Zeitschriftengründun-
gen mit den Freunden Otto Flake und Ernst Stadler
arbeitete er als Verlagslektor, Verlagsleiter und Chefre-
dakteur der »Neuen Zeitung« in Straßburg. Während
des Ersten Weltkrieges ging er – ein leidenschaftlicher
Pazifist – als Zeitungskorrespondent nach Zürich, gab
von 1915–1919 die »Weißen Blätter« heraus, wodurch er
mit allen jungen Autoren seiner Zeit in Kontakt kam.
1920–1932 lebte er – wie die mit ihm befreundete
Annette Kolb – in Badenweiler. 1932 emigrierte er nach
Frankreich, wo er bei Ausbruch des Zweiten Weltkriegs
für kurze Zeit interniert wurde.

In seiner Trilogie »Das Erbe am Rhein« skizziert René
Schickele Eigenart und Schicksal der Menschen seiner
Heimat, des Elsaß, »die mit der doppelten Liebe zu
Frankreich und Deutschland zur Welt kommen«.

Maria Capponi
2518

Blick auf die Vogesen
2519

Der Wolf in der Hürde
2520

Fischer Taschenbuch Verlag

Hermann Burger

Die Künstliche Mutter
Roman, 267 Seiten, Leinen

Der Roman erzählt die Geschichte eines Intellektuellen aus Notwehr. Die traurige Geschichte eines »psychosomatisch frühinvaliden« Enddreißigers, der die »maternelle Deprivation« seiner Kindheit, die gefühlsarme Erziehung durch seine »Migräne- und Eismutter« nicht zu verwinden vermag, daran auch körperlich leidet.
Guy André Mayor. Luzerner Neueste Nachrichten

Diabelli
Erzählungen. Collection S. Fischer
Fischer Taschenbuch Band 2309

Die drei »Geschichten erzählen von der Sehnsucht des Individuums nach Selbstverwirklichung und von seinem (immer wieder mißlingenden) Versuch, die Diskrepanz zwischen Wollen und Können zu überwinden und ihr durch die Flucht in die Welt des Scheins zu entkommen. So macht uns Hermann Burger auf dem Umweg über das Exzentrische das Zentrale bewußt. «
Marcel Reich-Ranicki. Frankfurter Allgemeine Zeitung

Kirchberger Idyllen
Collection S. Fischer. Fischer Taschenbuch Band 2314

»Bei Burger ist die Idylle auf eine Weise existentiell geworden, die ihr wider Erwarten auch im letzten Drittel des zwanzigsten Jahrhunderts ihre Daseinsberechtigung gibt. «
Klara Obermüller. Frankfurter Allgemeine Zeitung

Schilten
Schulbericht zuhanden der Inspektorenkonferenz
Collection S. Fischer. Fischer Taschenbuch Band 2086

»Wer so Schicht um Schicht dem Werk auf den Grund zu kommen sucht, erkennt, daß er einem literarischen Zeugnis von höchstem Rang begegnet ist, das seinen verlorenen Ernst und seine ernste Verlorenheit bis in die kurioseste Konsequenz durchhält, jeder Möglichkeit des Mißverständnisses ausgesetzt. Eines der originellsten Bücher der letzten Jahre. «
Werner Wien. Der Tagesspiegel

S. Fischer / Fischer Taschenbuch Verlag

Elias Canetti
Nobelpreisträger

»Canetti verfügt noch über jene Magie, die wesentliche Botschaft der Menschen und Dinge zu hören, und es geschieht dies ohne Mystik, da er imstande ist, sie von innen her zu verstehen. Seine Kunst ist eine sorgfältig versteckte Kunst des Erkennens.«   Wolfgang Kraus

Das Gewissen der Worte
Essays
Band 5058

Die Blendung
Roman
Band 696

Die gerettete Zunge
Geschichte einer Jugend
Band 2083

**Die Provinz
des Menschen**
Aufzeichnungen 1942 bis
1972
Band 1677

**Die Stimmen
von Marrakesch**
Aufzeichnungen nach einer
Reise
Band 2103

Dramen
Hochzeit/Komödie der
Eitelkeit/Die Befristeten
Band 7027

Masse und Macht
Band 6544

Fischer Taschenbuch Verlag